世界とキレル

佐藤まどか

あすなろ書房

世界とキレル

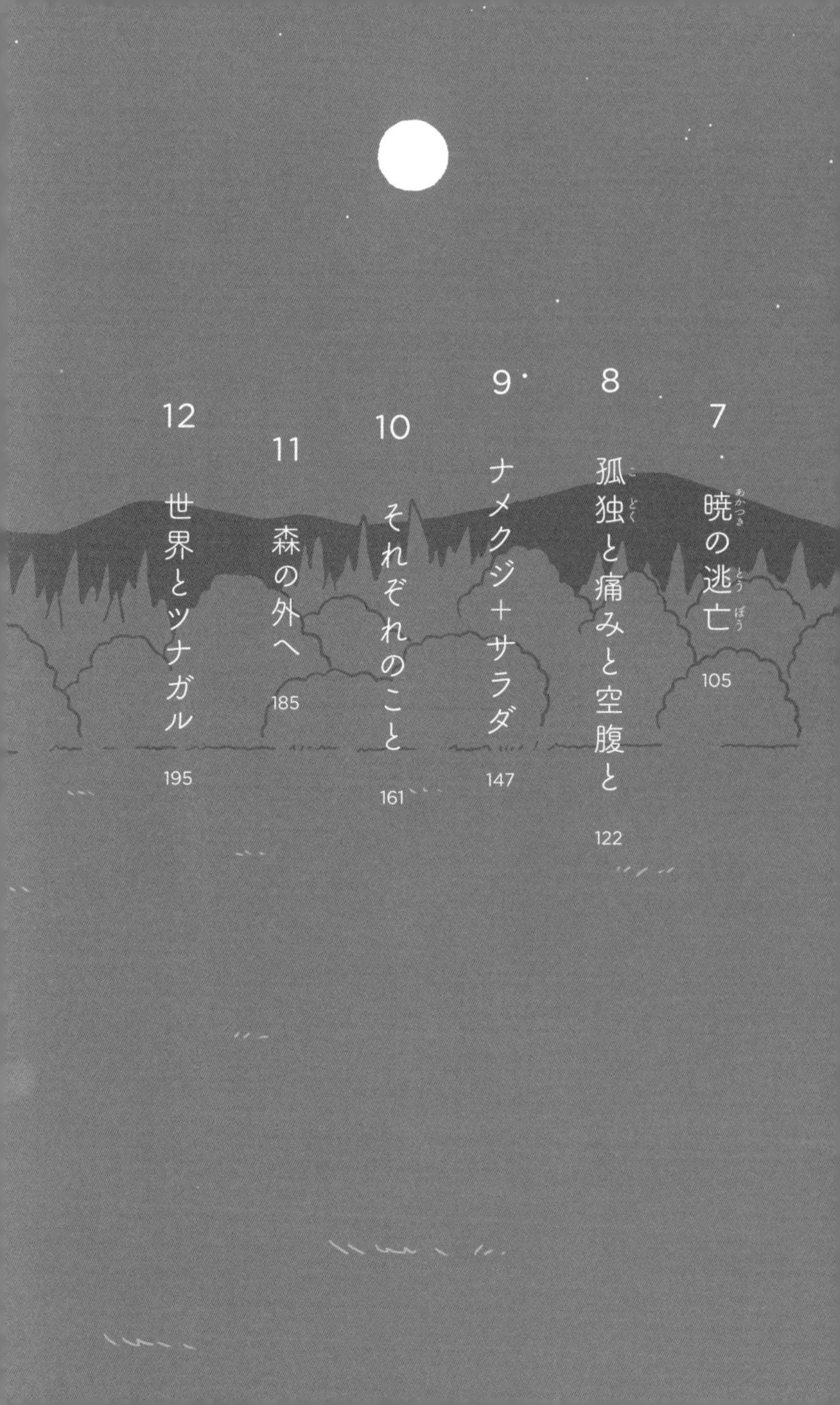

1　森の中へ

……苦しい。

目が覚めると、喉《のど》もとにシートベルトが食いこんでいた。

ベルトをゆるめようとしたら、遠心力で体がぐいっと持っていかれた。やっともとにもどったかと思うと、今度は反対方向にどんどん引っぱられていく。

後部座席を占領《せんりょう》して、バックパックを枕《まくら》に寝《ね》そべっていた舞《まい》は、観念してちゃんと座ることにした。むっくり起き上がってふと窓の外に目をやると、U字カーブの道路以外は緑、緑、緑。緑以外なにもない。

「山奥《やまおく》じゃん……」

と舞がつぶやくと、助手席から体をねじまげて振《ふ》りかえった鏡花《きょうか》ちゃんが、ニッコリほほえんだ。

「舞ちゃんったら、サービスエリアでランチしたあとから、ずっと寝ていたわよ」

「寝不足でさ」

シートベルトをゆるめ、床《ゆか》に落ちたスマホを拾っていると、また体が激しく引っぱられてバランスをくずした。

「うわっ」

思わず声が出る。まるで遊園地のアトラクションに乗っているようだ。

「ふふっ、きゃーっ」

鏡花ちゃんが笑いながら叫《さけ》ぶ。

「こらこら、楽しんでないで、ここはカーブがきついんだから、ふたりともしっかりつかまっていて」

おじさんにいわれて、舞はあわてて窓の上にあるアシストグリップを握《にぎ》った。

「あ、舞ちゃん、このあと砂利道《じゃりみち》になるはずだから、車酔《くるまよ》いしそうになったら遠慮《えんりょ》しないでいってくれよ。すぐ停《と》めるから」

「はい」

おじさんは気がきく。しかも日本人離《ばな》れした濃《こ》い顔でかっこいい。いとこの鏡花ちゃんが

「おとうさん」じゃなくて「パパ」と呼んでいるのは納得《なっとく》できる。

鏡花《きょうか》ちゃんは父親そっくりの美少女で、さらに母親ゆずりのスリムな体型だから、女の子らしいドレスがよく似あう。顔が小さくて、長い髪《かみ》はさらさらだ。今日の鏡花ちゃんは、ロングヘアに白いカチューシャ、ピンクのスポーツカジュアルなワンピースに白いスニーカーという、夏のバカンスにぴったりのファッションだ。

一方、骨太で背の高い舞《まい》は、鏡花ちゃんとは正反対のイメージだ。短い髪はいつも寝起《ねお》きふうだし、今日は黒いデニムの短パンに青いTシャツを肩《かた》までまくり上げて、大きな黒い安全ピンでとめている。足もとはいつもの黒のキャンバス・スニーカー。

舞の母はヘビー級のボクサーのようないい体格をしていて、鏡花ちゃんママとは姉妹なのに、ぜんぜん似ていない。それに、舞の父は塩味のうす焼きせんべいみたいに平面的な顔だった。もう三年も会っていないが、舞は鏡を見るたびに、父がこんな顔だったと思い出さざるを得ない。つまり、ボクサーの体格にうす焼きせんべいの顔をのせたのが、自分なのだ。女の子らしいドレスなんて似あうはずがない。

鏡花ちゃんは、会うたびにきれいになっていく。舞は、そんな彼女《かのじょ》を見るたびに、ため息をつく。

スマホをいじっていると、車体が上下にガタガタゆれはじめた。外に目をやると、車は森の中の砂利道《じゃりみち》を進んでいた。

母から見せてもらった写真によると、行先の「森の家」はすてきな庭のある古い洋館で、レトロでロマンティックな感じだった。ちょっと歩けばおしゃれな店がたくさんあるような、軽井沢《かるいざわ》をイメージしていた。ようするに、ＳＮＳのストーリーズに次々《つぎつぎ》アップしたくなるような場所だ。

だから、目の前のうっそうと茂《しげ》った森の風景が、舞にはとても信じられない。店どころか、人が住んでいる気配すらない。こんな山奥《やまおく》にあるなら、洋館どころか、きっと丸太小屋にちがいない。

「こんなところに人類が住んでいるのか」と、思わずつぶやくと、鏡花ちゃんとおじさんがクスクス笑った。

「舞ちゃんたら、おおげさねえ」

「あいかわらず、いうことがおもしろいね、舞ちゃん。でもね、さっき砂利道になるところで、門を抜《ぬ》けただろう？　しかも防犯カメラつきで自動開閉だった。つまり、人類がいる証拠《しょうこ》だよ！」

おじさんの声があまりに明るくて、舞《まい》はちょっと引く。

「……なるほど」

「ここからの山道がけっこう長いみたいだから、スマホを見てると車酔《くるまよ》いするかもしれないよ！」

「はい」

おじさんは明るい。舞の父とは見かけも中身も正反対だ。

「舞ちゃん、車酔いだいじょうぶ？」

鏡花《きょうか》ちゃんがもう一度振《ふ》りむいたとき、舞は窓ガラスにスマホをくっつけて、景色の動画を撮《と》っていた。ずっと緑ばかりだが、ときどき木の枝がおおいかぶさってきたり、カーブでぐいんと曲がるから、ちょっと加工すればダイナミックでいいかもしれないと思ったのだ。

鏡花ちゃんの言葉が入っちゃったから、あとで音楽をかぶせよう。

録画をストップさせて、舞は前を向いた。

「……うん、お尻《しり》と頭にゴンゴン響《ひび》くけど」

「ふふ、舞ちゃんはぜい肉ないものね。ねえ、これから三週間、楽しみだね」

「え、うん……」

「林間学校というのかしらね、こういうの。写真がすごくすてきだったから、期待しちゃう」

鏡花ちゃんがいつになくはしゃいでいるのが、舞はふしぎだ。いつも海外でゴージャスなバカンスをしている鏡花ちゃんにとっては、日本の山奥《やまおく》でバカンスなんて、つまらないのではないか。

おじさんは大きな広告代理店のエリート営業マンで、母の姉にあたるおばさんは、主に映画の字幕をやっている有名な翻訳家《ほんやくか》だ。東京の郊外《こうがい》にある古い賃貸《ちんたい》アパートの舞の家とちがって、三人は港区《みなとく》のピカピカの分譲《ぶんじょう》タワーマンションの最上階に住んでいる。そして夏は家族で海外旅行、冬は国内旅行をしていて、舞にしてみれば理想の家族だ。

「鏡花ちゃんちが夏休みに海外旅行しないなんて、めずらしいね？」

「そう……今年はね」

鏡花ちゃんは言葉をにごして、おじさんをちらっと見た。

「ママは急な仕事でニューヨークに行くし、パパは大きなイベントの仕事で九月まで休みが取れないのよね」

「仕事じゃしかたがないね」

「ええ、そうなの……」

「ま、うちなんかいつもそうだけどさ」

舞《まい》の家は「今どきめずらしくもない」と母が豪語《ごうご》する母子家庭だ。だらだらしていた父とちがって母はまじめに仕事をしているから、食べるのには困っていない。ただ、母は観光業だから、週末や夏こそ忙《いそが》しくて、まとまった休みはほとんどない。

数分間の沈黙《ちんもく》を、おじさんが破った。

「いやあ、舞ちゃんが鏡花《きょうか》といっしょに参加してくれてよかったよ。この子はちょっとデリケートだから、よろしく頼《たの》むよ！」

やたらに明るいおじさんの声にとまどい、舞は少し間を置いてから、「あ……はい」と、答えた。

わたしはボディガードかい。

そうツッコミを入れようかと思ったが、やめておいた。鏡花ちゃんと自分のコンビだと、どう考えてもアイドルとボディガードがぴったりの表現だ。

鏡花ちゃんが笑うと、そこに花が咲《さ》いたみたいになる。デリケートな花。たとえば、花びらが淡《あわ》いピンクの、スウィートピー。

わたしはなんだろうと、舞は考える。

たとえば、アーティチョークとか？

アーティチョークというのは、恐竜《きょうりゅう》に似あいそうな形の野菜だ。ごつごつした太い茎《くき》についている大きな食用のつぼみで、見た目は美しくもなんともない。しかも萼《がく》の先端《せんたん》にはトゲがついていることが多いから、調理するときは気をつけないといけない。

舞の家ではそんな高級野菜は買わないが、鏡花ちゃんの家で食べさせてもらったことがある。おばさんはそのとき、アーティチョークを細く切って、ニンニクと炒《いた》めてスパゲッティを作ってくれた。そこに薄《うす》くスライスしたパルメザンチーズをたっぷりのせたら、最高においしかった。おばさんは、いろんな奨学金《しょうがくきん》を勝ちとって三回も留学をしたほど優秀《ゆうしゅう》だが、仕事ができるだけでなく、料理まで得意なのだ。

自分を植物にたとえるなら、まちがいなくあのアーティチョークだろうと舞は思う。中学二年生になったとたん、骨太の体型のまま、背だけやたらに伸《の》びた。おまけに髪《かみ》はヤマアラシみたいな直毛だから、伸ばしたところで様《さま》にならない。しかも、見た目だけじゃなくて性格までごつごつしてるのだから、味の良いアーティチョークより悪いだろう。

未来永劫《えいごう》、鏡花ちゃんのようになれないことは、わかっている。花屋で売られるスウィートピーと、八百屋で売られるアーティチョークの差は、あまりに大きい。

考えごとをしていたら、助手席の鏡花《きょうか》ちゃんがまた振《ふ》りむいた。

「でも、わたしね、たまにはこういうのもいいかなって思うの。パパやママといっしょの海外旅行も楽しいけど、いつも一週間だけだし。今回は三週間もあって、ひさしぶりに舞《まい》ちゃんともゆっくり話せるし、新しいお友だちもできるかもしれないし」

「……そうだね」

「だから楽しみにしているのよ。舞ちゃんも？」

きっと本心だろう。鏡花ちゃんはウソをつけない。スウィートピーは、ひらひらの花びらがしおれたり満開になったりが、丸見えだ。萼《がく》が何枚も重なっていて様子が変わらないアーティチョークの鎧《よろい》とはちがうのだ。

舞は黙《だま》ってうなずく。

「でも、ネットマガジンとのタイアップ企画《きかく》だから、カメラがずっと回っているらしいのよね。それを考えるとちょっと緊張《きんちょう》しちゃう。舞ちゃんも知ってるよね？」

「うん、知ってる」

ガタガタゆれる車の中で、他の六人の参加者を想像した。責任者の伝手《つて》で集められた中学一年生から三年生だという。「林間学校」と鏡花ちゃんは勝手に呼んでいるが、たった八人の子しかいないのだから、学校というほどのこともないし、ちょっとゴージャスなバカンスといったところか。

それにしても、車は道なき道を行ってるようだ。おじさんの高級ＳＵＶは、スポーツユーティリティとは名ばかりで、山道が苦手そうに見える。やたらに大きくて小回りがきかないらしく、木のそばをぎりぎり通るから、乗っているほうはひやひやする。

「パパ、こういう山道は、ＳＵＶじゃないときつくない？」

鏡花ちゃんが不安そうな声を出した。

「はは、これだって一応ＳＵＶだよ」

「でもこれ、シティＳＵＶでしょう？　大きすぎるし、こんな細い道、だいじょうぶ？」

「だいじょうぶだと思うよ。まあ、いざとなったらきみたちには降りて歩いてもらおう」

「やだ、もう、パパったら！」

鏡花ちゃんがこうして父親とじゃれているとき、舞はちょっとうらやましい。いや、正直にいうと、うらやましいどころか、ねたましいかもしれない。

バサバサバサッ。

枝と葉っぱがおおいかぶさってきた。窓ガラスがあるのに、ついよけようと、舞《まい》は身をかがめてしまう。

バサバサッ。ガタガタガタ。

外はいつまでたっても緑しかないし、振動《しんどう》も騒音《そうおん》も激しい。舞はイヤホンをして、スマホに入れてある大好きな曲をかけ、目を閉じる。


ふと目を開けると、うっそうとした森がひらけて明るくなっていた。

「あっ！　舞ちゃん、あれ！」

指をさされて、思わず身を乗りだした。

ツタのからまるレトロな洋館が見えてきた。

近づくにつれ、それは写真どおりのすてきな屋敷《やしき》だということがわかった。丸太小屋ではない。庭には白い彫像《ちょうぞう》があり、真っ赤な花も咲《さ》いている。白いガーデンチェアやテーブルがあって、奥《おく》には小さなプールまで見える。

「ヤバ」

「すてき！」

おじさんは立て札の案内に従って、車を裏庭のほうにまわし、駐車場《ちゅうしゃじょう》らしき芝生《しばふ》に車を停《と》めた。

「さあ着いた着いた。いやあ遠かったなあ。遅《おく》れるって連絡《れんらく》はしておいたけど、ごめん、四十分も遅刻《ちこく》だね」

となりの車を見ながらおじさんはいった。泥《どろ》のついた本格的なSUVだ。たぶんここの人の車だろう。その向こうには、小型のトラクターも停めてあった。

「ヴォウヴォウ！」

低い鳴き声がして、放し飼いの大きな犬が走ってきた。白っぽくて、毛が長い。

「きゃ！」

と鏡花《きょうか》ちゃんは車の中に逃《に》げこんだが、バックパックを背負った舞は犬を両手で受けとめ、ひっくり返りそうになった。大きな犬は、舞のあごをベロリとなめた。

「あんた、ぜんぜん番犬じゃないじゃん。人なつっこすぎだよ」

賃貸《ちんたい》アパートだから飼えないが、舞は大型犬が大好きなのだ。

「ほう、こりゃまた大きい犬だね。きっと優秀《ゆうしゅう》な番犬だけど、舞ちゃんがいい子だって知ってるんだよ」

おじさんは朗《ほが》らかに笑う。

「そんなのわかるのかな？」

「もちろんさ」

犬に好かれるのはうれしいが、「いい子」ではないと自覚している舞《まい》は、おじさんの言葉をちょっと重く感じた。

「森の家」と書かれた大きな木の表札のかかっている玄関《げんかん》に向かう。バックパックはずっしりと重い。三週間分の着替《きが》えは最低限の量だが、スナックやクッキーや缶《かん》ジュースをたくさん入れてきたからだ。コンビニがないと聞いて、あわててあれこれ詰《つ》めこんだ。

コンビニのない三週間なんて、舞にとっては生まれて初めてのことだから、少し不安になっている。夜ひとりで家にいるとき、窓の外にちらっと目をやって、いつものコンビニに光が灯《とも》っているのを見ると、ほっとする。店員さんはしょっちゅう変わるから誰《だれ》も舞のことは覚えていないが、いつもあそこに光がある、たとえ何時でも行けば必ずだれかいると思うと、なぜか安心するのだ。

「さあ、犬くん、いっしょに行こう。あとできみの名前を聞かなきゃね」

舞はスマホでその大きな犬を撮《と》った。犬はふさふさの尻尾《しっぽ》を左右にぶるんぶるん振《ふ》りながら、うれしそうに舞についてくる。

おしゃれ好きの鏡花《きょうか》ちゃんはさぞかし大きなスーツケースだろうと想像していたが、おじさんが持ってあげているのは、三週間用にしては小さなスーツケースだった。

舞は首を曲げて、目の前の年季の入った洋館を見上げた。外壁《がいへき》にからまるツタはうっそうと茂《しげ》り、屋根まで続いている。これもスマホで撮る。

それから、深呼吸をした。空気はほんのりといい匂《にお》いがする。庭で咲《さ》きみだれている花の匂いかもしれない。日差しは強いが湿度《しつど》が低い。心地《ここち》良い風が、首すじをなでていく。

インターホンを探しておじさんがウロウロしている間に、舞はドアにあるライオンの大きな口から出ている輪っかでドアをゴンゴン、と強くたたいてみた。

同時に、犬がヴォンヴォン、と吠《ほ》えた。

横で鏡花ちゃんがクスクス笑い、舞はスマホでライオンのドアノッカーを撮った。

あとで写真を加工して、SNSにアップロードしなきゃ。キャプションはこんな感じ。

『ゴンゴン！　インターホンのかわりにライオンの輪っか。さあ、森の中の古いお屋敷《やしき》でバカンスが始まるよ！』

フォロワーのみなさん、待っててね。

2　世界とキレル

おじさんは、責任者らしき人に遅刻《ちこく》のことをあやまってから、「鈴木《すずき》先生、ではふたりをどうぞよろしくお願いします」とあいさつすると、鏡花《きょうか》ちゃんと舞《まい》には「じゃ三週間後にね！」と告げてさっさと帰っていった。

「責任者の鈴木幸子《さちこ》です。中にどうぞ」

舞は軽く頭を下げながら、母がいっていた「人徳のある元校長先生」とはこの人のことかと、こっそり観察する。

東京に比べれば涼《すず》しいが、真夏だというのに、白い長袖《ながそで》シャツの一番上のボタンまできっちり留めている。グレーのボックス型スカートに、白いソックス、そして黒い革《かわ》のルームシューズをはいて、グレーの髪《かみ》はきゅっとダンゴにまとめてある。後れ毛の一本もはみ出ていない。すきのない感じだ。Tシャツに短パンとスニーカー姿の舞とは、あまりにも対照的だ。

ピンクの室内履《ば》きにはきかえて、白いスニーカーをシューズボックスにしまう鏡花ちゃんに続いて、舞が黒地のキャンバススニーカーをぬいで板の間に足を乗せたとたん、「室内履きをおはきください」と、鈴木先生に注意された。

「あー、ビーサンでいいですか?」

「ビーチサンダルはプールサイド以外は使用禁止です。持ち物のところに、『室内履き』と書いてあったはずですよ。『学校の上履《うわば》きでけっこうです』と。お読みになりませんでしたか?」

ていねいな言葉づかいとはいえ、かなりきつい語調だ。舞はどう答えようか迷った。ビーサンでいいと思っていたから持ってこなかったのだ。

「森さん、お忘れになったのですか?」

肩《かた》をすくめながらうなずくと、鈴木先生は玄関脇《げんかんわき》の、クローゼットというよりも「洋服ダンス」というほうがふさわしい、年季の入った大きな扉《とびら》をギギギッと開けて、下に積まれていた箱からルームシューズを出して、床《ゆか》に置いた。

「サイズは二十四かしら?」

「あ、はい。ありがとうございます」

一目でサイズがわかるのかと感心しながら、鈴木先生と同じ黒のルームシューズに足を入れた。

案内された大広間は、板張りの床《ゆか》で天井《てんじょう》が高く、窓際《まどぎわ》のベージュの重たそうなカーテンは左右にきっちりまとめられていて、レースの白いカーテンの向こうからはさんさんと光が入っている。真ん中に大きな木のテーブルがあって、真っ白い花が飾《かざ》られていた。ビロード張りのアームチェアがあちこちに置いてある。

内装に見とれていると、部屋の左奥《おく》のソファに座っていた四人の男の子とひとりの女の子が立ち上がった。

鏡花《きょうか》ちゃんが頭を下げながら、みんなに「こんにちは」といい、舞《まい》は続いて頭だけちょこっと下げた。

「もうひとりいらっしゃる予定だった泉《いずみ》さんは、ご事情でキャンセルなさいましたので、この七名のみなさんで全員そろったことになります」

七人か、中途半端《ちゅうとはんぱ》だな。と思っていると、だれかがうれしそうに叫《さけ》んだ。

「おう、ラッキーセブンだぜ！」

ふーん、そういう考え方もあるか。

叫んだ少年を、舞はちらっと見た。自分同様、このフォーマルな空気には場ちがいな服装だ。

鈴木《すずき》先生は、奥に向かって「滝乃川《たきのがわ》さん！」と呼んだ。

「はい。ただいま参ります」

静かだがテノール歌手のように響《ひび》く声がして、鈴木先生以上にきっちりした感じの人が出てきた。シルバーグレイの髪《かみ》はオールバックにしてあって、黒っぽいスーツを着て、かっちりした白シャツにネクタイまでしている。まさか山の中で、こんな服装の人に会うとは思っていなかった舞は驚《おどろ》いた。

シルバーグレイのおじさんは、背すじをピッと伸《の》ばしたまま、頭を軽く下げた。

「滝乃川と申します。鈴木先生の補佐《ほさ》として、みなさまのお世話係、マナー指導係、そして運転手を担当させていただきます」

「滝《たき》さん、よろしくーっす」

さっきと同じ少年の声が響いた。他のみんなはなにもいわずに頭を下げ、舞はボケッと滝乃川さんを観察した。

尻尾《しっぽ》のついたフロックコートこそ着ていないが、イメージはどう見ても執事《しつじ》だ。今どきは映画やドラマ、アニメの中だけに存在しているのだと、舞は思っていた。

「え、もしかしてー、滝乃川さんって執事さんだったりしてえ?」

舞が聞きたかったことを、となりの大柄《おおがら》な女の子が聞いてくれた。滝乃川さんのかわりに、鈴木《すずき》先生がにっこりほほえんでうなずいた。

「彼《かれ》は長年執事《しつじ》をなさっていらしたのですが、ここでは様々《さまざま》な役目でわたくしを手伝ってくださっています。みなさんのマナー指導をしていただきますので、『執事さん』ではなく、『滝乃川《たきのがわ》さん』とお呼びになってください」

それから、ひとりひとり自己紹介《しょうかい》が始まった。

かなりぽっちゃりしていて目立つ顔だちの女の子は、のえみ・サンダー。舞《まい》と同じ中学二年生。おとうさんがアメリカ人らしい。どおりで顔つきも日本人離《ばな》れしているし、腰《こし》の位置が高いわけだと、舞は納得《なっとく》した。

伊藤《いとう》という名字の兄弟ふたりは、相当にヴィンテージなTシャツと短パン姿だ。ふと、ずいぶん前に読んだ『トム・ソーヤーの冒険《ぼうけん》』のトムとハックルベリーを思い出して、舞はおかしくなった。さっき発言した態度のでかい中三の兄をイトワン、ひねくれ小僧《こぞう》っぽい中一の弟をイトツーと、舞は心のなかで命名した。

ポロシャツにしゃれたサマージャケットまで着ている良家のおぼっちゃまふう男子は、名字も名前も聞いた瞬間《しゅんかん》に忘れてしまった。なんとかジュン。とくに欠点のない印象の薄《うす》い顔で、中三。

そのとなりのぬぼーっとした男子は、下を向きながらぼそぼそしゃべるから、ぜんぜん聴《き》きとれなかった。やたら長い、カセなんとかという名字と、古臭《ふるくさ》いイメージの名前だった。中二には見えないほど大柄《おおがら》で、身長は滝乃川さんをはるかに超《こ》えている。

鏡花《きょうか》ちゃんのあと、舞も名前と学年だけの自己紹介をした。

鈴木先生から「みなさん、スマホ、ＰＣ、タブレットなどを見せてください」といわれて、ふしぎに思いながらスマホを見せると、さっと取りあげられてしまった。

「あ、ちょ、まって……」

顔から血の気が引いていく。自分のスマホが、滝乃川さんの抱《かか》えるカゴに入れられてしまった。

「ここでは一切《いっさい》使えませんよ。どうせ持っていたところで、どこのプロバイダーの電波も入りませんしね。三週間後にお返しします」

「えーっ！」

舞とのえみ・サンダーが同時に大声で叫《さけ》んだ。

まわりのみんなはべつに騒《さわ》ぐこともなく、しぶしぶスマホだのタブレットだのを出しているだけだ。

「そんなの聞いてません！」

舞《まい》の抗議《こうぎ》は、鈴木《すずき》先生にも滝乃川《たきのがわ》さんにも無視された。

「なにこれ！　知ってた⁉」

おとなしくスマホを差しだしている鏡花《きょうか》ちゃんに聞くと、こっちを見もしないでうなずいた。

「わたしは聞いてないよ！」

鏡花ちゃんの横顔をにらみつけるが、相手はうつむいている。

問いつめようとしていると、「いいじゃねーか」という声が飛んできた。

「オレら、そんなもん最初から持ってねーし」

イトワンがニヤニヤしている。

「は？」

「持ってねーっつーの。べつにいらねぇし」

スマホがいらないなんて、こいつバカじゃないの？

舞は相手を無視した。

「だいたいさぁ、来る前にパンフレット読めよ、モリブ」

モリブ？

「モリブってウケるな」

イトツーが笑う。

「それ、誰《だれ》のこと？」

「おまえ。モリマイって森で舞《ま》うって書くっていったろ？　だったらモリブでいいじゃん」

小学校のとき、男子にモリマイとフルネームで呼ばれていたが、さすがにモリブなどと呼ばれたことはない。イトワン＆ツーにいい返そうとしているうちに、滝乃川さんがあっというまに電子機器類を持って奥《おく》に行ってしまった。

「あ、ちょっと待ってください！　こんなの聞いてません！」

あわてて追いかけようとすると、鈴木先生にむんずと腕《うで》をつかまれた。

「おかあさまはもちろんご承諾《しょうだく》なさってますよ。むしろ、スマホからのデトックスのためにもちょうどいいって喜んでいらしたんだから」
デ、デトックス！　毒抜《ぬ》きってやつ？
いや、いやいやいや……ないでしょ。三週間なんてムリ！

「あー、じゃわたし、今すぐ家に帰るんで、スマホ返してください」

鈴木先生の手を振《ふ》りほどき、一応頭を下げて、床《ゆか》に置いたバックパックを背負っていると、だれかがゲラゲラ笑った。

ここ、笑うタイミングじゃないだろ。

ムッとしていると、イトワンがニヤニヤしながら一歩前に出た。

「モリブ、どうやって帰んの？　歩ってか？　ここ山奥《やまおく》だぜ。オレたちさ、送ってもらったチケットで最寄《もよ》りの駅まで来てな、そこに滝乃川《たきのがわ》さんが車で迎《むか》えに来てくれたんだけどさ。最寄りったって、そりゃー遠かったぜ。な？」

イトツーはこきざみにうなずく。

「まあ、徒歩なら丸一日か、もっとだな。スマホ使おうにも電波ないし。ククッ」

「だよな。熊《くま》に食われて、ニュースになるかもしれねーぞ。ま、せいぜいがんばれよ」

ムカつく兄弟に回し蹴《げ》りをしようかと思って、舞《まい》はなんとか踏《ふ》みとどまった。

「今どき電波の届かないところがあるわけないじゃん！　外界とどうやって連絡《れんらく》してると思ってんの！」

兄弟にいったつもりだったのだが、かわりに鈴木《すずき》先生がやけに穏《おだ》やかな声で答えた。

「有線です。電話線も光ファイバーも引いてありますよ。事務室のＰＣでは問題なくインターネットが使えますし、宿泊者《しゅくはくしゃ》の方々《かたがた》には、有線ルーターから無線ｗｉｆｉを供給しています。ですが、みなさんは使用禁止です。ご両親とは週に一回、固定電話機でお話しできます」

「で、でも！」

「三週間後のお迎えが来るまで、あなたはどこにも行けやしません。観念して、ここの生活をエンジョイなさい」

「……」

上品な顔して、オニか、このおばさんは！

舞はくるっときびすを返し、いつのまにかもどってきて部屋の端《はし》っこに立っていた滝乃川さんに聞いた。

「参加やめます。さっきのスマホ返してください！　それと、最寄りの駅まで送ってもらえませんか？」

「申し訳ございませんが、それは致《いた》しかねます」

「えっ、どうしてですか!?」

「そういう決まりでございますので」

「でも、こ……」

舞の言葉は、鈴木先生の声でさえぎられた。

「くどいですよ、森さん」

鈴木《すずき》先生の声があまりに冷静で、舞《まい》の喉《のど》が凍《こお》りついたようになった。反論したくても、声が出ない。

こんなところにスマホなしで三週間もいるなんて、まるで収容所じゃん!

わたしにとって、スマホがどんなに大事か、こいつらわかってない。

スマホがないと……世界とつながれなくなる。

世界と切れる。

ひどいよ!

カッとしてそばにあった本棚《ほんだな》の下を蹴《け》ると、足の指がじんじんした。

泣きそうだ。痛いからじゃない。くやしいからだ。でも、舞は人前では絶対に泣かない。そう決めている。だから泣かない。

鈴木先生はまた笑《え》みを浮《う》かべて、みんなを見まわした。

「みなさん。荷物はここに置いたままにして、まず各階の洗面所で手を洗っていただき、それぞれの部屋のベッドに置いてある服に着替《きが》えていただきます。同じものを着てから、おつきあいを始めましょう。身だしなみやヘアスタイルなど、先入観にとらわれてしまうのが人間というものですが、ここでは同じ環境《かんきょう》、同じ食べ物、同じ服装という、同じコンディションの中で三週間をお過ごしいただきます。そのために、まずユニフォーム着用がスタートラインなのです。三週間後には、記念にお持ち帰りになってください」

ユニフォーム？　そんな話は聞いていない。

舞はみんなを見まわすが、いやそうな顔をしているのは、のえみだけだ。

「はい」

「うっす」

「もし、サイズが合わない場合は教えてください。何枚かサイズちがいの予備があります。Tシャツとジャージはアウトドア・レクリエーションのときに使います。寝《ね》るときはご自分のパジャマでかまいません。女子三人が二階の奥《おく》の部屋。男子四人は一階の奥の部屋です。はい、では十分後、ここに集合してください」

鈴木先生は笑《え》みを浮かべたまま、アームチェアに座った。

「んじゃ部屋、見に行こーぜ」

と、のんびりした声で、イトワンがいった。

「ちょっと待って！　知らなかったの、わたしだけ⁉」

舞は叫《さけ》びながら、参加者ひとりひとりの顔を見る。

「ううん、あたしも知らなかったあ。ショックだよお。ママが勝手に申し込《こ》んだから……どうしよう。こんなのやだよお」

大柄《おおがら》なのえみの声は、想像以上に高くて、小さかった。目に涙《なみだ》を浮《う》かべている。

泣いてもしょうがないじゃん、といおうとしていると、なんとかジュンというお坊《ぼっ》ちゃまふうの男子がコホン、と咳《せき》をしてから、口を開いた。

「ぼくは知っていたが、まあ、こういう体験も、かえって新しくて悪くないかもしれないと判断したまでだ。騒《さわ》ぐほどのことではないだろう」

同じ中坊《ちゅうぼう》のくせに、どういう話し方だよ。

舞《まい》は反対側を見る。

「あんたは？」

顔は熊《くま》のプーさんみたいな、大柄だが威圧感《いあつかん》のない男子に聞くと、なにもいわずに、首をちょっとかしげた。

ああ、じれったい。

「じょうだんじゃない。わたしにはフォロワーが千人以上いるんだ。せっかく順調に伸《の》びてきてるのに、三週間も更新《こうしん》しなかったら、アウトだよ！」

「べつに、たいしたことじゃないんじゃね？」

またしてもイトワンだ。そして横でニヤニヤ笑うイトツー。

いちいち頭にくる兄弟と、ウソつき鏡花《きょうか》ちゃんと、気取ったジュンと、ぼやっとした熊のプーさんと、泣き虫のえみ。舞はひとりひとりをにらみつける。

こんなやつらと、しかもスマホなしの三週間なんて、最低の夏休みだ。バカみたいにだまされて、ちょっとワクワクしてた自分が情けなくなってきた。

なにがデトックスだ！

いくら頭にきたところで、駅まで送ってもらえないなら、ここにいるしかない。三週間も外界とシャットダウンされてしまう。いいことといえば、外のあの白い犬とじゃれることぐらいしかない。

「ねえ舞ちゃん、じつはね……」

のびてきた鏡花ちゃんの手を、舞は思いきり払《はら》いのけた。

3　クレーム・シャンティイ

鏡花《きょうか》ちゃんといっしょにこの三週間の林間学校みたいなのに行く？　と母に聞かれたとき、舞《まい》はうなずいた。

蒸《む》し暑い東京郊外《こうがい》のエアコンの部屋にじっといるよりは、涼《すず》し気な避暑地《ひしょち》に行くほうがいいに決まっていた。しかも、今人気のあのネットマガジンN＆M社とのタイアップで、三週間も滞在《たいざい》するのにすべて無料だというのだから、断るはずもなかった。

そのかわり、三週間の生活の様子をダイジェスト版にして、配信するらしい。リアリティショーみたいなものだろう。参加者はみんなアニメっぽく加工されて、声もアレンジされるという。

「未成年の素性《すじょう》をばらさないための配慮《はいりょ》でしょうね」

母はそういったが、ただおもしろいからじゃないかと舞は思った。

「きっと楽しいわよ。それに新しいお友だちもできるかもしれないじゃない？」

すぐに返事はしなかった。

あとで舞は、自分の部屋から母にメッセージを送った。

「友だちなら千二百七人いるけどね。今日ふたり増えて千二百九人」

すると、母はドタドタ足音を立てて、舞の部屋に来た。

「同じ家の中にいるのに、どうしてメッセージなんか送ってくるの？　もう、そのスマホ取りあげるからね！」

「わかったよ」

「第一、千人なんて、ただのフォロワーでしょ。会ったこともないんだから、友だちとはいえないわよ。舞、中学に入ってからだれも連れてこないし、どこにも行かないなんて、さびしくないの？」

「……」

さびしくないかと聞かれると、舞はよくわからない。ひとりでいるのは好きだ。気をつかう相手とつるむぐらいなら、ひとりのほうがよほど楽しい。

もちろん、小学校時代は友だちもいたし、今よりずっと楽しかった。でも、それは年齢《ねんれい》のせいではないかと思っている。気楽な時代は終わり、これからは坂道がどんどん急勾配《きゅうこうばい》になっていくのだ。うっかりしていると、上りきることはできないだろう。

しかし、舞《まい》にはスマホがある。だからさびしくない。

母がスマホをプレゼントしてくれたのは、舞がまだ六年生のころだった。夜は九時十時までひとりで留守番していることが多い娘《むすめ》に、負い目を感じていたからだろう。

「これがあれば、いつでもどこでも、かあさんとつながってるからね」

「未成年者用のフィルタリングがあるから、かあさんも安心だわ」

「なにかあったら、すぐメッセージ送ってきて」

「夕ご飯、スマホでしゃべりながら同時に食べようよ」

「これでさびしくないでしょ?」

そんなセリフを並べたてて、母はプレゼントしてくれたのだった。

それ以来、スマホは舞のパートナーだ。

「舞、たまには美紀《みき》ちゃんに連絡《れんらく》してみれば?」

母はときどき、なんの気なしにそんなことをいうが、そうは行かない。

「あら、だいじょうぶよ。いつまでも受験のことを気にしてるのは、舞だけでしょう。美紀ちゃんはぜんぜん気にしていないと思うわよ」

舞はつくづく、母はずぶとい神経をしているなと思う。

小学校のころ、舞は成績優秀《ゆうしゅう》だった。いつもクラスで一番の成績だった。そして、母の強い勧《すす》めで受験をすることになった。小学校時代に親友だった美紀ちゃんとは、同じ中学に行こうと約束していたから、いっしょに勉強し、いっしょに受験した。

なのに、舞だけが国立大学附属《ふぞく》中学校に受かってしまった。美紀ちゃんは、倍率が低い第二志望の私立も落ちてしまい、市立中学校に行くことになった。美紀ちゃんも成績はかなり良かったから、まさか第二志望も落ちるとは、だれも想像できなかったはずだ。もしかすると、面接が苦手だったのかもしれないと、舞は考える。それしか思い当たらない。

仲良しのひとりが入試に受かり、ひとりが落ちて仲たがいするのは、「よくあるパターン」だと人はいう。別々《べつべつ》の学校に行って一時的に疎遠《そえん》になるが、たいていはちゃんと仲直りするとも。でも舞は、一時的にでも美紀ちゃんと離《はな》れたくなかったから、同じ市立中学校に行こうと考えた。だが、母があまりに有頂天《うちょうてん》になっていたから、今さら行きたくないとはいえなくなってしまった。

「すごいわ、舞。鏡花《きょうか》ちゃんの学校より、舞の学校のほうがレベル上なんだから。やっとこれでおかあさんにも自慢《じまん》できることができたわ！　逆転ホームランよ！」

そして、あちこちに電話しまくったのだ。

「うちの舞《まい》が××大附属《ふぞく》に受かっちゃったのよ。ええ、小学校から入る子が多くて、中学からの入学は狭《せま》き門だったから、びっくりだわ！」

とくにおばさんには、偏差値《へんさち》なんかを持ちだして長々《ながなが》と自慢していた。横で聞いていて恥《は》ずかしくなり、スマホを取りあげようかと思ったくらいだ。

母は、小さいころからずっとおばさんと比べられてきたらしい。優等生でかわいい姉と、劣《れっ》等生《とうせい》でかわいくない妹。今でもときどきそのことをグチる。そして、そのコンプレックスは舞に連鎖《れんさ》した。

だから、母が娘《むすめ》を自慢した気持ちが、わからなくはなかった。正直、舞にしても、やっと鏡《きょう》花《か》ちゃんに勝てることがひとつだけできたと内心思っていたのだ。

友情を犠牲《ぎせい》にして入った中学だが、いざ始まってみると、舞はまわりのレベルについていけなかった。高校には全員が自動的に上がれるわけではないから、最下位レベルの成績のままでは、附属高校に行くのは無理だろう。

「小学校で優等生だった子が、受験して入った中学でついていけなくなるのは、よくあることです。まわりも一律にレベルが高いのだから、当然でしょう。ペースに慣れるまできついかもしれないけど、がんばってください」

担任の先生にそうなぐさめられたが、勉強をしてもちっとも成績は上がらなかった。

小学校のときはテストのたびに満点をもらってきた舞が、赤点ばかりをもらってくるのを見て、母は、

「頭がいいのにやる気がないからよ、勉強しなさい！」

と、ガミガミ怒《おこ》った。

夜、母が帰ってくるまで、スマホも母のおさがりのノートブックPCも取りあげられた。スマホを使わせてもらえるのは、寝《ね》る前にほんの三、四十分だけ。

その間だけ、舞は勉強のことを忘れて、世界とつながることができた。有名人の言葉に「いいね！」をつけ、気に入ったファッションをコレクションし、ミュージック・ランキングをチェックし、好きな歌をユーチューブで聴《き》きながら歌った。

ところが、どんなに勉強しても成績はあまり上がらなかった。舞の通う国立大学附属中学校はふつうの中学とは少しちがい、自分の頭で考えるような宿題やテストが多い。だから暗記が

得意な舞《まい》がいくら勉強したところで、成績は上がらないのだ。

やがて母は、知り合いから紹介《しょうかい》された家庭教師を雇《やと》った。しかし、週に三回も家庭教師を雇うほどの余裕《よゆう》はないはずだ。だからこそ舞は、母の出費に応《こた》えようと、必死になった。

家庭教師は、一発で東大の医学部に受かった女の人だった。暗記型ではなくて、自分の頭で考えるのが重要だという考えの人で、母に気に入られた。

ところがこの人は気が短かった。口ぐせはこれだ。

「どうして、こんな簡単なことがわからないのかな！　ちゃんと考えなさい！」

天才は凡人《ぼんじん》に勉強を教えるのが苦手なんだと、そのとき舞は悟《さと》った。

一年の後半になると、ついに食欲不振《ふしん》になり、もともとぜい肉が少ないのに五キロもやせてしまい、ストレス性の百円ハゲができて、生理が止まった。勉強どころか、頭がフラフラして歩くのもやっとだった。そして冬休み前に学校を二週間休んだ。

しまいに母はあきらめて、「勉強しろ」といわなくなった。

家庭教師にはやめてもらい、スマホも返してもらって、冬休みの間思う存分リラックスすると、体調もだんだんもどって、ハゲていたところには毛が生えてきた。

今年の正月、舞は毎日ひとりだった。鏡花《きょうか》ちゃんちがいっしょに国内旅行に連れていってくれると誘《さそ》ってくれたが、母はそこまで甘《あま》えられないと、さっさと断ってしまった。毎年いっしょに年末年始を過ごしていた田舎《いなか》のおばあちゃんは、もういない。

おかげで舞は、正月の三日間、ひたすらスマホをいじりたおした。そして「クレーム・シャンティイ」というハンドルネームを使って、SNSにアカウントを作った。フランス語で「ホイップクリーム」のことだ。遊びで始めたのだが、少しずつフォロワーが増えて、八カ月たった今は、すでに千人を超《こ》えている。顔写真はアップせず、写真を思いっきり加工して、もとの顔がわからないアニメふうのかわいいキャラを使っている。

クレーム・シャンティイは、舞とは似ても似つかない。明るくて素直《すなお》な性格で、かわいくて、おしゃれで、おいしいものが大好きな人気者なのだ。ホイップクリームみたいにふわふわした人生。とくに人気なのは、ジャンクフードのアレンジ編だ。

『最近トルティーヤ・チップスにはまってる。マヨ＋しょうゆ＋チリペッパーで、ピリ辛《から》ソースを作って、ディップするの。おいしいよ！　炭酸飲料とピッタリ』

『安いバニラアイスをテーブルスプーンですくって大きなグラスに入れて、チョコ味コーンフレークとマーブルチョコをパラパラかけて、ピンクのマシュマロも添《そ》えたら、ゴージャスなパフェのできあがり！』

こんな内容を写真つきで投稿《とうこう》する。

食べ物以外で評判がいいのは、手持ちの洋服のアレンジ編。おこづかいは少ないから、あるものをアレンジして、おしゃれにする。いつもの自分なら恥《は》ずかしくて絶対にしないコーディネイトだ。顔はマンガふうのキャラを貼《は》りつけるし、首から下しか見せない。

別人になりすますのは楽しい。罪悪感とともに、いたずらをしているような満足感がある。

クレーム・シャンティイになっているときだけは、別の人生を歩めるのだ。もしかすると、それは「なりたかった自分」で、まったくの別人というわけではないかもしれない。それに、舞《まい》はほかのアカウントを持っていないから、これは裏アカウントというわけでもない。

舞はSNSを見ているとき、うんざりすることがある。フォロワーが数万の子に嫉妬《しっと》してか、あることないこと書きこむ人も多く、ヘイトスピーチやデマは猛《もう》スピードで拡散される。しかもそういうことを書く人に限って、アイデンティティを隠《かく》している。

ケンカを挑《いど》むなら、堂々《どうどう》とやればいいのに。

だからクレーム・シャンティイはいいことしか書かない。自分もみんなも幸せにする、悪意のないウソなのだ。

中学校で、舞はうまく友だちを作れなかった。クラスメイトのほとんどが、附属《ふぞく》小学校から上がってきたというのも、理由かもしれない。それに、どうにもレベルがちがいすぎた。頭のレベルだけではない。裕福《ゆうふく》な家庭の子ばかりだった。イジメられたことはないが、まわりとの距離《きょり》はちっとも縮まらなかった。

クラスメイトの誕生日パーティに誘《さそ》われて行ったとき、舞はたまげた。相手の家がすごすぎて、ちっともリラックスできなかった。「今度は舞ちゃんちに呼んで」といわれても、尻《しり》ごみした。鏡花《きょうか》ちゃんとの越《こ》えられない「壁《かべ》」を、舞は学校でも味わったのだ。しかも、クラスメイトは、小さいころからよく知っているいとこの鏡花ちゃんのように愛情を持って接してくれるわけではない。

だから二年生の今は、もう積極的に友だちを作ろうとするのはやめて、適当に通って卒業だけすることにした。用事で話しかけられれば返事はする。学校以外で口をきくことがなくても、気にはならない。がんばるのをやめたおかげで、学校生活はまあまあうまく行っている。リラックスしているせいか、成績も前よりはました。

ただ、小学校時代のクラスメイトと家の近くでばったり会って、

「いいよね、舞は高校受験しなくていいんだから」

「舞《まい》はもう別世界の人だ」

などといわれると、返事に困る。

「いや、推薦《すいせん》からはずれるからムリムリー」

ヘラヘラしながらそう答えるのだが、だれも信じてくれない。みんなには、優等生の舞というイメージしかないのだ。親友だった美紀《みき》ちゃんは、すれちがっても他人行儀《ぎょうぎ》なあいさつだけで、ほとんど口をきいてくれないままだ。

もしフォロワーを友だちといえないなら、今の舞には友だちがひとりもいない。夏休みを家で過ごすのは、苦痛でしかないのだ。

だから、すてきな「森の家」の写真を見せられ、N&M社のタイアップ企画《きかく》だといわれて、舞は二つ返事で参加することにしたのだった。

4　夏の制服《ユニフォーム》

昨晩の母との会話が頭に浮《う》かんできた。

舞がバックパックに荷物を詰《つ》めていたら、部屋に入ってきた母は、やけに張りきっていた。

その意味が、今やっとわかった。

娘《むすめ》を、スマホ中毒からデトックスさせようと企《たくら》んでいたからだ！

宿題は早めにぜんぶやっちゃいなさいとか、送ってくれるおじさんにきちんとお礼をいいなさいとか、あれこれいわれてめんどくさくなったから、舞は適当に流した。

「はいはいはいはい、ハハ」

母は腕《うで》を組んで舞をにらみつけた。

「『はい』は一回でいいの。あと、いい加減、かあさんのこと『ハハ』って呼ぶの、やめてちょうだい」

「なんで？」

「自分の母親を呼ぶのに『ハハ』なんておかしいでしょ。『母上』ならまだわかるけど」

「……んならハハウエって呼ぼうか」

「もう、どうしてよ。前は、かあさんって呼んでくれていたじゃない？」

「……自分の母親のこと、ばばあとかクソばばあって呼ぶヤツもいるんだから、むしろ喜んで欲しいんだけど」

「なにいってんの！　舞《まい》はそんなどうしようもない子じゃないでしょ！　でも、そうやってひねくれるところ、どんどんあの人に似てきたわね！」

〈あの人〉とは、出ていった父のことだ。舞が反抗的《はんこうてき》なことをいうと、母は必ず父のせいにする。父に似ているといわれるのが、舞は一番嫌《きら》いだ。

ひねくれたダメ男と結婚《けっこん》したのもあんただし、出ていかれて泣いていたのもあんただし、帰ってこないから怒《おこ》って憎《にく》んでいるのもあんたじゃん。似てるっていわれても、どうしようもないんだよ。半分塩せんべいの血が流れてるんだからさ！

そう怒鳴《どな》ってやりたかった。

でもめんどうだから、返事をしなかった。そして出発した。

優等生の「モリマイ」しか知らない小学校時代の同級生や、劣等生《れっとうせい》で孤立《こりつ》している「森さん」しか知らない今の中学の同級生から、そしてめんどくさい母から逃《に》げた。「みんなから遠い所でしばらく平和に暮らせるなんてサイコーじゃん」と、ウキウキしていたのだ。だまされただまされただまされた。母にも鏡花《きょうか》ちゃんにも！

突然《とつぜん》全身から血が抜《ぬ》けてしまったような舞は、重い足を引きずって、階段を上る。のえみが階段を上りながら、振《ふ》りむいた。

「サイアクー、スマホなしの三週間なんて、ムリだよお。ひどいよねえ？」

舞は黙《だま》ってうなずくと、八つ当たりしたい気分にかられていた。もちろん嘘《うそ》つきの鏡花ちゃんにだ。

「先に手を洗いましょう！」

まるで幼稚園《ようちえん》の先生のように朗《ほが》らかにいう鏡花ちゃんに続いて、まだ目の赤いのえみと、ふてくされた舞も洗面所で手を洗い、のろのろと鏡花ちゃんの後に続く。

廊下《ろうか》の奥《おく》にある部屋のドアは開いていた。部屋は広くて、凝《こ》った曲線のパイプのベッドが四台並んでいるが、ベッドメイキングは三台のみしてあった。ベッドの反対側には、大きな窓があって、遠目に森が広がっているのが見える。

ベッドヘッドにはそれぞれの名前が貼《は》ってあった。舞《まい》は真ん中だ。狭《せま》い部屋の隅《すみ》っこで寝《ね》るのに慣れているから、だだっ広い部屋の真ん中というのはどうも落ちつかないが、がまんするしかないだろう。

ベージュのベッドカバーをちょっとめくってみたら、羽毛ぶとんだった。

「真夏にダウンか……」

とつぶやくと、鏡花《きょうか》ちゃんがすかさず、みょうに明るい声でいった。

「でも標高が高いから、朝晩は冷えるのかもね！」

返事なんかするもんか。ハハとグルだったんだから。

舞は鏡花ちゃんを無視して、ベッドカバーの上にたたんで置いてある服に手を伸《の》ばした。

真新しい白のポロシャツが二枚。厚手のグレーのカーディガンと、グレーのプリーツスカート。白い靴下《くつした》三足。それから白の半袖《はんそで》Tシャツにグレーのジャージ上下。ウインドブレーカー一枚。白いベースボールキャップ。すべてにNMのロゴ入り。スポンサーとなっているネットマガジン社のロゴマークだ。

「ふん、夏休みだってのに、毎日ユニフォームね」

グレーのプリーツスカートを腰《こし》に当てながら不平をもらすと、のえみが「だよねえ！」と同意した。鏡花ちゃんには腹が立つが、のえみとは気が合いそうだと舞は思った。

「どうせなら、セーラーにして欲しかったなあ。あたしの中学は制服がないから、ちょっと憧《あこが》れてたのにさ。これ、お持ち帰りくださいっていわれても、うれしくなーい」

「ほんと。うちの中学の制服のほうがマシだよ」

「モリブんとこは制服あるんだ？」

「まあね。モリブじゃなくて舞って呼んで」

「あっ、ごめん！　でもモリブって、カリブかモルディブみたいでカッコいいよお」

「ふーん。じゃ、どっちでもいいや」

「そお？　じゃあたしもモリブって呼ぶ！　クールな雰囲気《ふんいき》にピッタリなんだもん。あたしは『のえみ』って呼んでねー」

「オッケー」

「ねえ、だいたいさあ、七人しかいないし、どっかに行くわけでもないのに、どうしてユニフォームなのかなあ？　あたしには意味わかんなーい」

「ほんと意味わかんない」

「……それは、ほら」

鏡花《きょうか》ちゃんが口をはさんだ。

「さっき鈴木《すずき》先生がおっしゃっていたでしょう。ここでは同じ環境《かんきょう》、同じ食べ物、同じ服装という、同じコンディションの中で三週間をお過ごしいただきますって。つまり服装などで先入観を持たせないため、という意味なんじゃないかしら？」

真剣《しんけん》な顔でそんなことをいう鏡花ちゃんを、のえみは瞬《まばた》きしながら見つめた。

「あー、あたしのいった意味わかんないって、そういう意味の意味わかんないじゃなくて、なんてゆーか、そのー、『やだなー』みたいな……」

のえみがまじめに返事をしようとしているから、舞《まい》は笑いだしたくなった。のえみのゆるいノリが、心地《ここち》良い。ムカムカしていた気分も、どうにかおさまってきた。

「あ、そういうことなのね……ごめんなさい、かんちがいしちゃった」

それにしても、と舞はちらっと鏡花ちゃんの横顔を見る。

ユニフォームのことも知っていたから、荷物が少なめだったわけだ。ぜんぶ知っていて、わたしには黙《だま》っていたんだ。

鏡花ちゃんをにらみながらスカートをはいていると、急にのえみが声を上げた。

「モリブ、そのスカート、意外に似あうよ！」

「わたしの場合、どっちかっていうと学ランのほうが似あうはずだけど」

自虐《じぎゃく》ユーモアで返すと、のえみがゲラゲラ笑った。舞もつられて笑った。

だれかと笑い合うなんて、ひさしぶりかもしれない。

「サイズがピッタリなとこ見るとさあ、あたしらのサイズ、最初から知ってたんだねえ」

「だろうね。最初から仕組まれたワナだったってわけよ」

いいながら、また鏡花ちゃんのほうに目をやるが、相手はうつむいている。

「あー、でもあたし、この色やだ。せめて黒かブルーだったらなあ。こんなに明るいグレーだと、お尻《しり》が大きく見えちゃう」

思わず吹《ふ》きだしてしまった。

問題はそこか。

「カーディガンで隠《かく》せばわかんないよ」

「そっかなあ。でもカーディガンはおると暑いしなあ」

「朝晩は冷えるらしいから、ちょうどいいんじゃないの」

のえみはクローゼットのほうにドシドシと歩いていって、ぴかぴかに磨《みが》かれた真鍮《しんちゅう》の取っ手を引っぱった。

「鏡あった！」

扉《とびら》の内側にあった姿見で、のえみは自分のユニフォーム姿を見ている。

「ああ、やっぱデブって見えるー」

「平気平気、だいたいロクな男子いないし」

フォローのつもりで舞《まい》がそういうと、のえみはケタケタ笑った。

「いえてる！　伊藤《いとう》兄弟とかただの悪ガキだし、お坊《ぼっ》ちゃまっぽい純《じゅん》くんとか気取っててムリだし、ぼーっとしてる子はもっとムリだし。ま、いっか！」

「そうそう、その意気だ」

「だよね！　あ、これ、めちゃ古そうだね。なんか奥《おく》が深すぎない？」

のえみがクローゼットの中をのぞいている。

「奥の板を押《お》すと、向こうの世界に行けるよ」

ぎゃ、っといって、のえみはあわてて扉を閉めた。

「そんな気持ち悪いことといわないでよ、モリブったら」

そっか、ジョークが通じなかったか、と舞が笑っていると、すかさず鏡花《きょうか》ちゃんがいった。

「ほんと、『ナルニア国物語』に出てくるクローゼットみたいだね」

鏡花ちゃんは読書家だ。小学校のころ、舞は鏡花ちゃんとよく本の話をした。似たような本が好きだった。冒険《ぼうけん》ものや、ファンタジー。

中学に入って、舞はすっかり本を読まなくなってしまった。

なんでだっけ？

理由は思い出せない。いつのまにか、本よりスマホが好きになっていた。インタラクティブだからかもしれない。本に話しかけても返事はないが、ＳＮＳでなにかつぶやけば、必ず反応がある。ひとりじゃないという気がしてくる。

「さてと」

着替《きが》え終わって、カーディガンを手に、舞はドアのほうを見た。

「遅《おそ》いな。滝乃川《たきのがわ》さん、いつ荷物運んでくれるんだろ？」

「えっ、そうなのお？　ポーターさんみたく持ってきてくれちゃうの？」

のえみが自分のベッドにドスン、と腰《こし》をかけながら聞いた。

「じゃなきゃ、なんで置いていけっていったのよ？」

「あ、そっかあ。あたし、てっきりぜんぶ没収《ぼっしゅう》かと思っちゃったあ！」

「そんなわけないよ。下着とかパジャマとか、宿題とか、歯ブラシとか入ってんのに」

それにスナック類がたくさん入ってるし。

「まさかパンツまでユニフォームだったりしてぇ！」

のえみはまたケタケタ笑った。泣いたり笑ったり、喜怒哀楽《きどあいらく》の激しい子だなと感心しながら、つられて笑ってしまう。

ちらっと鏡花《きょうか》ちゃんを見ると、窓の外を眺《なが》めていた。そして、視線を感じたのか、急にこっちを向いた。

「ねえ、のえみちゃんは、バイリンガル？」

「え？　ちがうんですよお。パパはアメリカ人だけど、あたしはずっと日本で生まれ育ったから、英語はカタコトしかしゃべれないんですよお。発音だけはネイティヴらしいけど、文法とかぜんっぜんわかんないから、学校の英語の成績も悪いしー」

「なるほど。両親がどの言語を話すかっていうより、どこで初等教育を受けたかが大きいという話は、本当なのね」

「ですねえ」

「ねえ、わたしに敬語を使わなくてもいいのよ」

「えー、ほんとに？　一学年センパイなのに？」

「うん、上下なしでいきましょうよ」

「了解《りょうかい》！」

「さ、下に降りましょう。鈴木《すずき》先生、怒《おこ》るとこわそうだから」

「はーい！」

のえみが立ち上がって、舞《まい》の手を引っぱった。

「モリブ、行こっ」

出口に一番近いところにいた鏡花ちゃんが、先に部屋から出た。舞たちがその後ろを歩いていると、鏡花ちゃんが階段の手前で足を止め、ちらっと振《ふ》りむいていった。

「でも、服のコーディネイトを考えなくていいから、ユニフォームって楽よね」

「あ、まーたしかに、そういう考え方もできるけどー。鏡花さん、こんな色でも最高に似あっちゃってる。ねー、モリブ？」

舞はまあね、という顔をしておいた。

たしかに、これだけ地味な服を着ていても、鏡花ちゃんは腹が立つほど美しい。むしろ、シンプルな服が、顔の美しさを引きたたせているといってもいいぐらいだ。

それにしても、スマホもコンピュータも使えずユニフォームで過ごすことを知っていて、なぜ鏡花《きょうか》ちゃんがこんなところに来たのか、舞《まい》にはさっぱりわからない。

鏡花ちゃんはのえみに向かってほほえんだ。

「お世辞でもうれしいわ。ありがとう！」

ネコみたいに足音も立てずに降りていく鏡花ちゃんのあとを、ドタドタ降りていくのえみが、急に振《ふ》りむいて舞にささやいた。

「ねえ、モリブ、鏡花さんのこと、なんか怒《おこ》ってる？」

「……いやべつに」

「そんならいいけど、なんか怒ってるっぽく見える」

「ただ……ちょっとした内輪もめ。あの人、わたしのイトコなんだ」

「えーっ、ウソ！　鏡花さんとモリブがイトコー!?」

最後の段を踏《ふ》みはずしそうになりながら、のえみが叫《さけ》んだ。

下にいた男子たちが、いっせいに振りかえる。

「モリブと鏡花さんがイトコ？　似てねーっ」

イトワンが叫んだ。

比べる。

「マジ似てねーわ」

ツーが続く。残りの男子ふたりはなにもいわずに、のえみの前後にいる鏡花ちゃんと舞を見比べる。

うるさいな。その比較《ひかく》にはもう飽《あ》きてるんだよ。

小学生のころ、ふたりで歩いていると、近所の子によくいわれたものだ。親戚《しんせき》が集まったときも、みんなにいわれた。あら、いとこなの。似てないわね。まあ、きれいな子ねえ。

ひとつ年上の鏡花ちゃんは、いつでも舞の憧《あこが》れの対象だった。舞は鏡花ちゃんと同じ髪型《かみがた》にしたり、似た服を選んだ。ふたりでいっしょに写真を撮《と》った。同じ服で、同じポーズ。

おじさんは、セレクトした写真を送ってくれた。その写真を見たときのショックは忘れない。舞は、自分と鏡花ちゃんとのちがいに気づかされた。長い髪《かみ》も、ひらひらのドレスも、舞にはちっとも似あっていなかったのだ。

六年生の初めに髪を短く切り、スカートをはくのをやめた。すると、クラスの女子にほめられた。それ以来、ボーイッシュ路線を通している。

「ねえねえ、伊藤《いとう》兄弟ってさ、ユニフォームを着たら別人だね。でも純《じゅん》くんは、かえって地味になっちゃったね。私服がゴージャスだったもんね」

横でのえみがささやいた。

「そう？」

と返事したが、いわれてみればそうだ。いかにも不良という感じだった兄弟が、こぎれいなポロシャツとグレーのチノパンだと、急にちがうイメージになった。馬子《まご》にも衣裳《いしょう》とはこのことか。

純《じゅん》くんと熊《くま》のプーさんは、さほど変わらないイメージだ。

「みなさん、ユニフォームのサイズは問題なさそうですね？　では、荷物の整理を始めましょう。まず、ひとりひとり、中身を出してここに置いてください」

鈴木《すずき》先生がにこやかにいうと、純くんと鏡花《きょうか》ちゃんがいち早く、小型のスーツケースから持ち物を取りだして、中央のテーブルの上に置いていった。

ふたりとも、まるで示し合わせたようにピカピカしたアルミのスーツケースだ。パジャマや下着が入っているらしい半透明《とうめい》の袋《ふくろ》、本数冊に教科書にノートにペンケース。アイロンのきいたバスタオルやフェイスタオルの入った袋、ビーチサンダル、予備のスニーカー、水着。ハンドクリームやシャンプー、歯ブラシ類の入った透明ポーチ。すべてがきっちりと整理整頓《せいとん》されている。

「はい、オーケーです。しまってください。ああ、それから貴重品については、各部屋のクローゼットの中にセーフティボックスがあるので、ご自由にお使いください」

ふたりはうなずいて素早《すばや》くスーツケースにしまう。

「なにこれ、持ち物検査？」

「そーだねえ。タバコとかナイフとか持ってそうなヤツいるしねえ！」

のえみはちらっとイトワンを見た。

まあ、たしかに。

ところが、兄弟はなんの抵抗《ていこう》もせず、ナップザックを逆さにして、中身を豪快《ごうかい》にテーブルの上にバサバサと落とした。歯ブラシと歯みがき粉とパンツ。水泳パンツ。ノート一冊と商店街のロゴ入りボールペン。兄弟の持ち物の中身はほぼ同じだ。

「荷物少なすぎ」

とつぶやくと、イトワンがニヤッと笑った。

「人間、案外少ないもので生きていけんのよ」

なに、こいつ。地獄耳《じごくみみ》か。

「あ、先生、持ってこれるようなタオルなかったんで」

と、胸を張って答えるイトワンに、腕組《うでぐ》みをしたツーがうなずく。

「はい、オーケーです。どうぞしまってください。バスタオルとフェイスタオルが必要な人は、用意してありますので、あとで滝乃川《たきのがわ》さんに聞いて、もらってください。さてと、サンダーさんと森さんは？」

のえみは、布製のスーツケースから、あれこれ出して並べはじめた。カラフルな服が山のように積まれていく。タオルやビーチサンダルのほかにも、前の四人が持っていなかったものがたくさんある。巨大《きょだい》なピンクのポーチは、鈴木《すずき》先生にいわれて中身をぜんぶ出して並べるはめになった。ピンクや水色のマニキュア、クリーム、ショッキングピンクのハンドミラー、色つきリップ、流行《はや》りのキャラクターがついたヘアブラシ、お菓子《かし》みたいな歯みがき粉と、キラキラ光る歯ブラシ。ビタミン剤《ざい》、マンガ、ノート、落書きやシールだらけのペンケース、色とりどりの丸い飴《あめ》が入った透明《とうめい》のプラスティックボトル、ガム五個、板チョコ五枚、グミの大袋《おおぶくろ》ひとつ、ダイエットコーラの缶《かん》二本。それから、のえみがあわてて服の下に隠《かく》した生理用品。

「荷物ゴージャスだね」

とからかうと、のえみは舌を出して肩《かた》をすくめた。

舞《まい》もその横に、バックパックの中身を負けじと並べていく。服はのえみより少な目だし化粧品《けしょうひん》はないが、スナック類がどっさり。忙《いそが》しい母に代わっていつも買い物に行くから、ついでにお菓子やらジュースやらを買ってては自分の部屋にためている。万が一食が合わない場合に備えて、カップラーメン数個も持ってきた。荷物の半分は食べ物だ。あとは宿題の教科書とノートと、筆記具。

どうだ、没収《ぼっしゅう》されるようなものはないだろ。

と思ったら、すっと近づいてきた滝乃川さんが、あっというまに舞とのえみの食料品をダンボールに入れた。

「えっ、なんでオヤツまで！」

抗議《こうぎ》する舞とほぼ同時に、のえみがキャーと叫《さけ》んだ。ふと見ると、のえみは必死に抵抗《ていこう》しているが、マニュキュアやカラーリップクリームを手からもぎとられているところだった。缶コーラやお菓子、マンガも没収。

「ちょっと！　どうしてですか？　ここは収容所か！」

涼《すず》しい顔で戦利品を持っていく滝乃川さんと、満足げな顔でそれを見送る鈴木先生に、舞は抗議した。

「お送りした資料にすべて書いておきましたが、ここでは、オヤツは手作りのものをお出しします。飲み物も、健康的なお茶、新鮮《しんせん》なフルーツの絞《しぼ》りジュース、スムージーを毎日出します。

男子用・女子用各バスルームの棚《たな》にそれぞれ自然化粧品《けしょうひん》を用意してありますので、使っていただいてかまいません。ここでは不健康なドリンクやジャンクフード、化学薬品だらけの化粧品は一切《いっさい》禁止です」

鈴木《すずき》先生は、不気味なほど優《やさ》しげに、うっすらとほほえみながら説明する。そのにこやかな顔に猛反撃《もうはんげき》したい衝動《しょうどう》にかられていると、急にのえみが泣きだした。

「もう、のえみったら、ほら泣くなって!」

「だってえ……」

のえみの肩《かた》に手を置いていると、正面から声が飛んできた。

「おまえら、バカみてー」

「チャラ女とジャンクフード女。いいコンビじゃね?」

イトワン&ツーにいいかえそうとしていると、鈴木先生が兄弟をさとした。

「伊藤《いとう》さんたちはお静かに」

「ういーっす」「ちっ」

「それからサンダーさん、それほどの悲劇ですか? お帰りになるときに、ちゃんとお返しします。あなた方が持ってきたものは、いずれも保存料や添加物《てんかぶつ》がたっぷりで、三週間程度で腐《くさ》るものではありませんからね」

鈴木先生をにらんでいると、鏡花《きょうか》ちゃんが寄ってきた。

「舞《まい》ちゃん、ごめんね。こういうことは、さすがにおばさまが舞ちゃんに伝えたと思ってたの……」

舞は鏡花ちゃんを怒鳴《どな》りつけようと思ったが、ただ無視することにした。

「先生、そういやさ、取材が入るんじゃなかったっけ？」

質問をしたイトワンに、鈴木先生はまたニッコリほほえみながら、大きな窓ガラスの上を指さした。

「すでに始まってますよ。この部屋と食堂、団らん室、そして庭では二十四時間カメラが回ってます」

「あ、ほんとだ」

「うおー」

みんなが見上げた先には、小さなカメラが設置されていた。それは予想内だったから、舞はまったく驚《おどろ》かない。

「熊《くま》のプーさん」が、カメラに向かって小さく手を振《ふ》った。それを見て、めそめそしていたのえみが笑った。

「すげー、オレたち有名人になっちまうのか?」

イトワンの背中を、ツーが軽くたたく。

「アニキ、名前は仮名になるし、イメージはアニメ化されるし、音声はアレンジされんだよ」

どうやら弟のほうが冷静な感じだ。

「あ、そっか。ちっ。顔も名前も出してくれてかまわねえのになあ」

コホン、と咳《せき》をして鈴木《すずき》先生が小さく首を左右に振《ふ》った。

「みなさんは未成年ですから、そういうわけにはいきません。リアリティショーみたいなものですが、身もとがわかってしまいそうな発言のときは、うまく音声アレンジをして、わからないようにしてもらいます。屋外活動の場合は、滝乃川《たきのがわ》さんがハンディカメラで撮《と》る予定です。また、寝室《しんしつ》とバスルーム、トイレはカメラ設置をやめてもらいました。もっとも、みなさん今日の午後からは、就寝《しゅうしん》以外でお部屋にいることはないはずですけれどね」

「ふーん」

「さあ、では一旦《いったん》部屋に荷物を置いてきてください。今日は初日なので、夕食まで少し休憩《きゅうけい》時間にします。ベッドメイキングはしてあります。ただし、明日からは毎朝自分できちんとベッドメイキングをしてください。朝食後チェックしに行きます。水曜と土曜に、シーツ類を洗います。シーツやカバーをはずしてたたんで置くように。起床《きしょう》時間は七時です」

「えーっ」

「夏休みなのに七時に起きるのかあ」

みんなの文句を完全に無視して、鈴木先生は続ける。

「ええ、七時起床です。朝食は七時半から八時。シャワーは朝でも夜でもいいですが、各階に二つずつしかないので、相談して決めてください。八時半から午前中のレクリエーション。十二時にランチ。一時から四時まで午後のレクリエーション。四時から六時までは自由時間。六時から七時が夕食。その後は団らん室でコミュニケーションタイムです。お天気によりけりですが、遠出をするときは、お弁当を持って朝から午後までレクリエーションになります」

「あのー、早口すぎて、覚えられませーん」

のえみが小さく手をあげて抗議《こうぎ》した。

「あとで、スケジュール表を各部屋に一枚ずつ、ドアの内側に貼《は》っておきます。それから、ここには自販機《じはんき》もコンビニもありません。ティッシュや生理用品などの生活用品、頭痛薬などの薬類はありますので、必要になったらわたしか滝乃川さんに聞いてください。あと、日中は三十度前後まで上がることもありますが、夕方から急に気温が下がりますので、風邪《かぜ》をひかないようにお気をつけください」

「はい」

「ういーっす」

「すみません、ちょっといいですか？」

お坊《ぼっ》ちゃま純《じゅん》くんが、顔の前あたりで人差し指を立てた。舞《まい》はクラスのいやみな男子を思い出した。

いるよね、こういう気取ったジェスチャーするヤツ。

「はい、立石《たていし》さん。なんでしょうか？」

「ミネラルウオーターはどこで入手できますか？」

「ああ、それなら蛇口《じゃぐち》の水を飲んでください。ここの水はミネラルウォーターとしても販売《はんばい》されているほどおいしい名水ですから。みなさんはラッキーなことに、その名水のシャワーやお風呂《ふろ》に入るということです」

うおおお。

兄弟の大げさな驚嘆《きょうたん》に、鈴木《すずき》先生はにっこりと笑顔《えがお》で応《こた》えて話を続ける。

「さあ、では六時きっかりに、となりの食堂に集合してください。かならず手を洗ってから来てくださいよ。日が暮れると冷えますので、カーディガンを忘れずに」

「はーい」「はい」「ういーっす」

それぞれに荷物を持って、歩きだす。

すっかり軽くなってしまったバックパックを背負い、ふてくされて階段に向かっていると、イトワンが話しかけてきた。

「残念だったな、ジャンクフード・モリブ」

「あのね」

立ち止まって、ほぼ同じ身長の相手をにらむ。

「よけいなお世話なんだよ。あんたはツーとじゃれてな」

「ツー？」

「そ。あんたがイトワンでチビがイトツー」

「……」

「ぷっ」

イトツーが吹《ふ》きだした。

「いいな、それ。気に入ったぜ」

「信二《しんじ》、オレたち、おちょくられてんだぞ」

「クズイチ、クズニより、おしゃれじゃね？」

今度は舞《まい》が吹《ふ》きだした。

「ク、クズイチ、クズニって！　すごいな、その命名」

「だろ。いつもきったねえ格好してっからクズ。クズみたいなところに住んでっからクズ。不良だから学校のクズ。血統書つきのクズだぜ」

弟は苦笑いをしながらいったが、兄は歯を食いしばっているみたいだった。

この兄弟はそんなことをいわれているのか。

なんだかバツが悪くて、舞はあわてて視線をそらした。

「んじゃ、イトワンとイトツーって呼ばせてやる。おまえはモリブで決定だからな！」

イトワンは吐《は》きすてるようにそういうと、奥《おく》の廊下《ろうか》に向かってドシドシ音を立てて歩いていった。

あいつ、なんでこうもつっかかってくるんだろう。ほっといて欲しい！

初日から、もういいことなしだ。いつまで耐《た》えられるか、わからない。

小さくため息をついて、舞は階段を上った。

5　ごめん＋ヒヨコ豆

「舞ちゃん、ごめんね」

部屋に入ったとたん、鏡花《きょうか》ちゃんが話しかけてきた。

怒鳴《どな》りつけようと思ったが、鏡花ちゃんの今にも泣きそうな目を見ると、舞は文句をいえなくなってしまった。

昔からそうだった。ケンカになりそうになっても、舞がなにかいうと鏡花ちゃんはすぐに泣きだし、結局なにもいえなかったのだ。

「……知ってたら絶対来なかった」

「ほんとにごめんなさい。でもね、内緒《ないしょ》にするって、おばさまに約束していたの。おばさまがうちに来たとき、いろいろ相談されて」

「ふーん。どんなこと？」

「おばさま、舞《まい》ちゃんのことを心配していたの。いつもスマホばかりいじっていて、なにをいっても反抗《はんこう》するだけだし、スマホを取りあげたら、もう家出すらしかねないって」

「おおげさな」

「あとね、非番の日しかいっしょに食事できないのに、ほとんど口をきかないし、すぐにお皿を持って部屋にこもっちゃうって。あんまり怒《おこ》るとまた前みたいに百円ハゲになったり、激ヤセしちゃうのもいやだしって」

「……」

「猛《もう》勉強をやめて少し体調はもどったみたいだけど、今度は心がどうかしてるみたいだって、いっていたの」

「……」

「わたしは、第二次反抗期だと思うっていったんだけど」

「なにそれ。思春期だの反抗期だのって、一過性の熱病みたいに簡単にくくらないで」

「ごめん。なんていっていいか、わからなかったんだもの」

「それにさ……物事にはそれぞれ原因ってものがあるんだよ」

本音がぽろりとこぼれ出た。

「え、原因って、なに？　よかったら、わたしに話して？」

「べつにいい」

「おばさまね、もう切羽詰《せっぱつ》まってるから、知り合いがやるこの森の家に行かせてみようと思うって。それと、わたしにもいっしょに参加してくれないかって。スマホを取りあげられることは内緒《ないしょ》にしておいてくれって、お願いされたの」

舞はぎょっとして鏡花《きょうか》ちゃんを見た。

「え、おじさんやおばさんの仕事の都合で海外旅行やめたんじゃなかったの？」

「ええと……他にもいろいろ事情があって……それでわたしと舞ちゃんをいっしょにここに参加させようっていうことになって。わたしも、たまには国内でのんびり舞ちゃんと三週間っていうの、いいなと思ったし」

「なに、じゃおじさんが『この子はデリケートだから頼《たの》む』っていったの、まるで逆だったたってわけ？　お目つけ役は鏡花ちゃん？」

「そんなえらそうなものじゃないのよ。ただ、ひとりぼっちより、わたしがいたほうが心強いかなって。わたしもひとりより、舞ちゃんがいてくれたほうが安心だもの」

返す言葉がなかった。

みんなで自分をはめたのだと知って、なんだか笑いたくなってきた。

「つまりわたしは、ここに更生《こうせい》させられに来たんだ。救済活動ってわけね。それで鏡花《きょうか》ちゃんは、天使みたいに見守りについてきてくれたんだ。そりゃどうも」

鏡花ちゃんがまた泣きそうな顔をするから、舞《まい》はため息をついた。

「……わかってるよ。鏡花ちゃんが善意でやったのは。ただ、ちょっとムカついただけ。それにしても、頭にくるな、ハハは」

「でも、おばさま、泣いていたのよ？　あの強靭《きょうじん》な感じのおばさまが」

「鏡花ちゃん、それは誤解だよ。ハハはたくましい容姿だけど、実はデリケートなんだ。つまらないテレビドラマ観《み》て、いつもおいおい泣いてるからね」

「え、そうなの？」

「父が出ていったあとも、毎日泣いてたからね。さんざん悪口いいながら、めそめそ泣いてたよ」

「そうなんだ……うちのママと正反対ね」

「そう？」

「ママって、デリケートに見えるでしょう？　でも、すごく強いのよ。人前では絶対に泣かない。泣いたところを見たことないもの」

思わずクスッと笑った。

「それ、まるでわたしじゃん」

「そうそう。舞ちゃんはママに似てるかも。わたしはママよりおばさま似よね。つまらないドラマでもすぐ泣いちゃう」

舞と鏡花ちゃんは笑い合った。

これ。この感じ。小さいころは鏡花ちゃんとよくこうやって笑ったっけ。

「なになに、なにがおかしいのお？」

のえみが寄ってきた。

「いやね、わたしは絶対に人前では泣かないけど、鏡花ちゃんは泣き虫だって話。のえみは？あ、さっき泣いてたか。スマホとオヤツ没収《ぼっしゅう》されたとき」

「えへっ。だって、ショックだったんだもーん。スマホないとさびしいし、大好きなグミもガムもチョコも取りあげられちゃって……まあ、ダイエットにはいいかもしれないけどねえ」

「ま、わたしもスマホに関しては、すっごくムカついてるけどさ」

「ねえ。まあ、ほんとにやせられたら、ちょっとうれしいかもしれないけど！」

そういってのえみはニマーッと笑った。

「よし、荷物片づけて少しゴロゴロしよっ」

荷物をベッドサイドの引き出しと奥《おく》のクローゼットに入れて、ベッドに横になる。

開け放たれた窓から、さわやかな風がそよそよと入ってきた。太陽がだいぶん傾《かたむ》いて、気温が下がってきたようだ。エアコンはつけていないのに、暑くない。

「ちょっと涼《すず》しくなってきたから閉めるね。あ、きれい、あの鳥！」

窓を閉めようとしていたのえみが指さすほうを見ると、木の枝に、きれいな色の尾羽《おばね》をした鳥がとまっていた。

グエーッ。

「ひどい鳴き声ね」

「ピーとかキュンキュンとか、かわいいのを想像したのにー」

「これからの前途多難《ぜんとたなん》な三週間の象徴《しょうちょう》だろうね」

鏡花《きょうか》ちゃんとのえみが思わず見ると、舞《まい》は首をすくめた。

「ジョークだよ、ジョーク」


カランカランカラン、という金属音がして目を覚ます。

スマホがないから時間がわからないかと思ったが、ドアの上に大きな壁《かべ》かけ時計があった。六時だ。

「あー寝《ね》てた」

起き上がると、鏡花ちゃんも眠《ねむ》そうな顔をしていた。右どなりを見ると、のえみはまだ寝ている。口を開けてグーグー豪快《ごうかい》な眠りだ。

「のえみ！　食べそこなうよ！」

と叫《さけ》ぶと、のえみはびくっとしてあわてて起き上がった。

「やだ、食べに行こう！」

あせって室内履《ば》きをはこうとして転びそうになるのえみを、舞は手で押《お》さえる。

「食いしん坊《ぼう》だな」

「そうだよお、こんなとこ、それしか楽しみないじゃん！」

「だね」

三人で部屋から出ようとする前に、舞は部屋のコーナーにある鐘《かね》を見上げた。さっきカランカランうるさかったやつだ。

「これ、下とヒモでつながってるんだよね。古めかしいシステムだな」

「すごっ。信じられない。なーんかここってさ、タイムスリップして百年前にいる感じ」

「いえてる」

「ねえ、手を洗わないと、また鈴木《すずき》先生に怒《おこ》られるわよ」

鏡花《きょうか》ちゃんにいわれて、渋々《しぶしぶ》バスルームで手を洗ってから食堂に行くと、男子たちはすでに座っていた。

鈴木先生は「食堂」と呼んでいたが、そこは、ホテルのレストランかダイニングルームという呼び方のほうがぴったりくる部屋だった。テーブルにはすでに、グラスやスプーン、フォークがきっちり並べられていた。

こういうところで食事をすることになれていない舞《まい》は、なんだか落ちつかない。いつもは部屋のPCの前で、カラフルなソーダを飲みながら、カップラーメンやコンビニ弁当を食べているのだ。

「みなさん、三分遅刻《ちこく》ですよ」

一番奥《おく》に座っている鈴木先生が、腕《うで》時計を見ながらいった。

「すみません。三人ともうとうと寝《ね》てしまいまして」

鏡花ちゃんが代表していい訳をした。

「初日なので大目に見ますが、明日から、食事に遅刻したら一品減る、と覚えておいてください」

「はあ？」

思わず抗議《こうぎ》しようとすると、鏡花ちゃんに背中をポンポンたたかれた。

「だらしねえな、女子は」

イトワンが勝ち誇《ほこ》ったような顔をしている。

ムッとはしたが、めんどくさいから黙《だま》ったまま座り、あたりを見まわした。

高い天井《てんじょう》、ステンドグラスのようなガラス窓、古びたペンダントライト、真っ白いクロスがかけられたテーブル、飴色《あめいろ》に光る木製のイス。カーテンはベージュで、すそに刺繍《ししゅう》がしてある。

すぐに滝乃川《たきのがわ》さんが料理を運んできた。

「本日のメニューは、まずヒヨコ豆入りのコンソメスープ、そしてメインが豚肉《ぶたにく》のソテー。つけ合わせには、ポテトのオーブン焼きです。サラダと自家製胚芽《はいが》パン、玄米《げんまい》パンのおかわりはご自由にどうぞ」

いい匂《にお》いだ。でも胚芽パンとか玄米パン……といやな予感がしていると、のえみがさっそく小声でいった。

「えー、あたし、マクロビなんとかとか、ヴィーガンなんとかとか、そういう健康的なのより、白いご飯とコンビニのふかふかの白いパンがいいなあ。もしかして、ここってこれからずっと……」

「ええ、そうですよ、サンダーさん。毎日和食、洋食と交互《こうご》にお出ししますが、穀物は必ず全粒《ぜんりゅう》穀物です」

鈴木《すずき》先生がほほえみながら返事をすると、のえみが首をすくめた。

正面に座っているイトワン&ツーが、目の前に置かれた皿を見て目を輝《かがや》かせた。

「うまそーっ。マジか！」

「悪くねえな」

兄弟が早速《さっそく》スプーンを握《にぎ》って食べようとすると、鈴木先生に止められた。

「いただきます、をいうまで食べてはいけません」

全員そろって「いただきます」といったとたん、兄弟はものすごい勢いで食べはじめた。ガツガツ貪《むさぼ》る、とはこのことだ。滝乃川《たきのがわ》さんがすっと寄ってきて、兄弟の背中を同時にポン、とたたいた。

「あわてず落ちついてお食べになってください。姿勢が前に傾《かたむ》きすぎです。スプーンにご自分の口が行くのではなく、ご自分の口にスプーンを持ってくるのです。ほら、鈴木先生や篠塚鏡《しのづかきょう》花《か》さん、立石純《たていしじゅん》さんの食べ方をよくご覧になって、お学びください」

「えっ」

イトワンが、スープ皿の真上にあった顔を少し上げて、びっくりしている。

「もしかして、マナーちゃんとしないと、食わせてもらえねーの？」

「まさにその通りでございます」

ツーが横で苦笑いをしながら、少し姿勢を正した。

「アニキ、いいから黙《だま》って食え」

「ちっ。はいはいはい」

弟にたしなめられたイトワンは、ぎこちない姿勢でスプーンを持つ。舞《まい》とのえみもクスクス笑いながらスープを口に運んだ。

「サンダーさん。本日は西洋式のお食事ですから、ズルズル音をさせないようにお願い致《いた》します」

のえみが注意された。

「は、はい」

今度はイトワンがクックッと笑う。

「ウケるな、のえみサンダーが西洋式のマナー知らないとかってさ」

「人のことをいっていないで、自分のポロシャツを汚《よご》さないように気をつけなさい」

鈴木《すずき》先生にたしなめられたイトワンがあわてて自分の胸《むな》もとを見ると、首に突《つ》っこんでいた大きな布ナプキンのおかげでぎりぎり服は汚れていなかったが、ナプキンにスープ汁《じる》がたくさんついていた。

「げっ。ヤベ……すんません」

滝乃川《たきのがわ》さんと鈴木先生に頭をペコッと下げたイトワンを、のえみはザマミロといった目つきで見た。

「かまいませんよ。それはナプキンですから。ですが、服は汚さないようにお願いしますね」

スープを前かがみにならずに、しかも服を汚さずに飲むのは至難《しなん》の業《わざ》だ。舞《まい》はぎりぎり怒《おこ》られない程度に前かがみになって、なんとかスープを口まで運び、音を立てずにすすった。

お皿もしっかり温められていた熱々《あつあつ》のスープは、味が薄《うす》い気がした。いつも濃《こ》い目のジャンクフードの味に慣れているせいだろうか。塩コショウとか、ケチャップとか、タバスコとか、なにか強い味の調味料をかけたくなる。

「あのー、調味料ないですか?」

滝乃川さんに聞いたのだが、鈴木先生の声が飛んできた。

「ダメですよ。なんでもかんでも濃い味つけに慣れると、舌が鈍感《どんかん》になりますし、血圧が上がります。よくかんで、素材を味わってください」

塩もかけさせてもらえないのか、ここは。

ふてくされた舞は、目の前の「うめーっ」を連発しているイトワンを一瞥《いちべつ》してから、味のしないスープをもう一回口に入れた。二口、三口……ヒヨコ豆をかんでいるうちに、さっきより味が少しだけ濃くなった気がしたが、やっぱり物足りない。

「ヒヨコ豆って、ぜんぜんヒヨコに似てないじゃん」

味がしない、というかわりになんとなく豆の文句をいってみた。

「だよねえ、なんでヒヨコなのかなあ？」

のえみがすぐに反応した。

「それは」

また地獄耳《じごくみみ》の鈴木先生が口を出してきた。

「ほら、見てごらんなさい。ちょっとくちばしみたいに、とんがっているでしょう。それがヒヨコに似ているから、という説ですが。こじつけかもしれません」

「は？　こじつけなんすか？」

イトワンは、スープをあいかわらずボタボタと襟《えり》もとにはさんでいるナプキンに落としながら聞いた。

「ええ、もともとのラテン語にそういう意味はなかったそうですが、いろんな国で言葉がアレンジされていくうちにそういう意味がついた、という説もあります」

ふーん。こじつけならいいな。ヒヨコに似てる、と思うと食べたくなくなるもん。愛《いと》おしくなっちゃう……。

舞《まい》は、スプーンの上にちょこんとのっている豆の小さなくちばしもどきの部分を見ながら、そんなことを考えていたが、似てないと暗示をかけてパクッと口に入れた。

豆がヒヨコに似てる似てないで、みんなが盛りあがっている。このがやがやした雰囲気《ふんいき》を見ていると、ふしぎな気分になる。いつもひとりで夕食を食べるのに慣れているせいかもしれない。

母は料理が不得意なうえに、仕事で遅《おそ》く帰ってくるから、舞はたいてい、ひとりで冷凍《れいとう》食品やコンビニ弁当を温めて食べる。もう慣れっこだ。それに、スパイスをどれだけ入れても、誰《だれ》からも文句はいわれない。

スープを飲みほしながら、黒っぽいパンをちぎって口に入れた。胚芽《はいが》パンは苦手なのだが、これは意外にしっとりしていた。焼きたてなのか、ほんのり温かい。

しかし、スープのあとの豚肉《ぶたにく》のソテーもポテトのオーブン焼きも、やはり味が薄《うす》かった。ラーメン屋なら調味料が置いてあるのに、ここにはなにもない。塩くださいと頼《たの》みたかったが、また鈴木《すずき》先生にガミガミ怒《おこ》られそうだから、がまんした。しかたがないから舞は肉を小さく切って、口の中に放りこんだ。

最後のサラダには、マヨかサウザンアイランドでしょ。と思ってサラダにフォークを突《つ》きさしたまままきょろきょろしていると、滝乃川《たきのがわ》さんがすっと寄ってきた。

「あのー、ドレッシングありますか？」

「サラダは、オリーブオイルとレモン、塩コショウですでに和《あ》えてあります」

ちぇっ。

がっかりしながら野菜を口に入れると、酸《す》っぱさが口の中に広がった。口をゆがめていると、純《じゅん》くんが鈴木先生に話しかけた。

「オリーブオイルもレモンも、非常においしいですね」

は？

舞は耳を疑ったが、鈴木先生はほほえんだ。

「オリーブオイルは小豆島《しょうどしま》の農家から直接仕入れています。レモンは秋冬はうちのものですが、この時期は購入《こうにゅう》します。秋冬には庭の木に成りますよ」

「秋冬なんですか？」

「ええ。日本のレモンの旬《しゅん》は秋冬ですよ」

「そうですか。勉強になります。それにこのオリーブオイル、日本製ですか。意外です」

「ふふ。悪くないでしょう」

これが中学生とおばさんの会話か、と思って舞《まい》は顔をしかめた。

「おかわりもらっていいっすかー」

滝乃川《たきのがわ》さんからサラダとパンとバターのおかわりをもらいながら、イトワンが聞いた。

「鈴木《すずき》先生ってさ、ふだんからこんな山奥《やまおく》に暮らしてんっすか？」

「ええ。五年前までは東京の看護学校で校長を務めておりましたが、引退して実家のこの家にもどってきました」

「へー、じゃ、じいちゃんばあちゃんもいっしょに住んでるんすか？」

ずけずけといろいろ聞くヤツだ。

舞はイトワンにあきれながら、やけにシャキシャキして水分をたくさん含《ふく》んでいる酸《す》っぱいサラダ菜を口に押《お》しこむ。いつものコンビニのしんなりカサカサしたサラダ菜とは、似てはいるが別物らしい。格闘《かくとう》しないと、うまく口の中に入らないぐらいだ。

「いいえ。両親は亡《な》くなりました。でも、この家を放っておくのはもったいなかったので、改装して暮らしているわけです」

「マジっすか。ひとりでこんな広いとこに住んで、さびしくないっすか？」

「いいえ。親の代からいらっしゃる滝乃川さんと、ここで料理を担当してくれている息子《むすこ》夫婦がいますからね」

「えっ。シェフがいるんだ？」

イトワンはきょろきょろし、ツーは黙《だま》って食べつづけている。

「ええ。あとでご紹介《しょうかい》します」

「うっす。めっちゃうまいから、これから三週間よろしくっていわなきゃ！　な？」

同意を求められたツーは、迷惑《めいわく》そうな顔つきでうなずく。

よくしゃべる兄に対し、弟のほうはずいぶん渋《しぶ》い性格だ。兄のように騒《さわ》がないし、笑わない。いつも、なんだかふてくされているような表情だ。もしかすると自分も、毎日こんな顔をしているのかもしれないと、舞は思った。

「しかし、こういっては失礼かもしれませんが、夏休みに七人の生徒を受け入れるだけのためのシェフとは、もったいないお話ですね」

姿勢正しくナプキンで口もとを押《お》さえている純《じゅん》くんが、やけに大胆《だいたん》な質問をしているのを聞いて、舞《まい》とのえみは思わず目を合わせた。

「ふふ。ご心配は無用です。今回は特別企画《きかく》なので部屋は半分以上使っていませんが、八月以外も、泊《と》まりこみのミーティングや常連の宿泊客《しゅくはくきゃく》で、ほぼ一年中満室ですよ」

「なるほど、そうですか。それで納得《なっとく》がいきました」

舞は、営業スマイルを浮《う》かべている純くんを見た。そんな舞の考えを察したかのように、のえみが顔を近づけてきた。

「ねえ、純くんて、いったい何者？　ホントに中学生かいって感じ」

「演技ならうざいけど、本当ならこわい」

のえみがプッと吹《ふ》きだした。

6　夜は更《ふ》け、目は冴《さ》えていく

食事を終えたあと、鈴木《すずき》先生から息子《むすこ》のシェフとアシスタントをしている奥《おく》さんを紹介《しょうかい》され、舞たちはあいさつをした。ニコニコして優《やさ》しそうな夫婦だった。

さて、それからなにもすることがない。

外でゴンタと遊ぼうかと思ったが、どうやらすでに犬小屋に入っているようで庭にはいなかった。犬の名前が「ゴンタ」で、毎日一キロ以上の肉を食べるから大変なのだと、シェフの奥さんに教えてもらったばかりだ。

まだ七時。いつもならまだ夕食を食べはじめてもいない時間である。舞はスマホが恋《こい》しくて、イライラしてきた。舞にとって、スマホは窓だ。自分と世界をつなぐ窓。どこにいたって、何時だって、必ずその窓は開いている。充電《じゅうでん》さえ忘れなければ、しつけのいい犬のように、こちらの問いかけに必ず答えてくれるのだ。

今何時？　明日のスケジュールは？　今日のテレビ番組は？　お勧《すす》めの音楽は？　人気のケーキ屋さんはどこ？　中高生に人気のヴィンテージショップは？

SNSにアクセスすれば、クレーム・シャンティイになれる。そこには楽しくて明るい人生がある。もちろんそれは架空《かくう》のものだが、それでもいい。実際の生活は、あまりにもつまらないのだから。

それなのに、肝心《かんじん》のスマホがない。いつもの世界からすっかり孤立《こりつ》している。今いる世界は、舞《まい》を含《ふく》め七人の中学生と四人の大人による、小さな小さな山の中の退屈《たいくつ》なコミュニティでしかない。

「テレビって、どこっすかー？」

と、イトワンの声が響《ひび》いた。鈴木《すずき》先生はニッコリ笑って首を左右に振《ふ》った。

「プロジェクターならありますよ。毎週土曜日と日曜日には映画を投影《とうえい》しますから、楽しみにしていてください」

「えー、マジっすか、うちにだってボロテレビぐらいあるけどな」

「ちっ、でかいテレビ観《み》れると思ったのになあ」

兄弟だけでなく、他のみんなもテレビがないのにはがっかりした。のえみは、大好きなドラマの続きが観られないと、大騒《おおさわ》ぎをしている。

「まーどうせ映画ったって、良い子の映画でしょ」

ひそひそ声で舞はのえみにいう。

「歴史とかのドキュメンタリーとか？　うわあ、かんべんして欲しー」

しかし地獄耳《じごくみみ》の鈴木先生はふたりの会話をしっかりキャッチして、「いいえ」ときっぱり否定した。

「恋愛《れんあい》映画やサスペンスものも、冒険《ぼうけん》ものもあるし、時代劇もあります。どれにするかは、当日多数決で決めましょう」

おお。みんながうれしそうな顔をした。

「さあ、みなさん、こちらにどうぞ。団らん室でゲームをやりましょう。九時に解散、シャワーを済ませて、十時消灯です」

舞は自分の耳を疑った。

「は？　十時消灯って。小学校低学年じゃあるまいし！」

「だよね。だいたい夏休みは夜更《よふ》かしするものでしょ」

のえみといっしょに文句をいうが、鈴木先生は知らんぷりをしている。

みんなはぞろぞろと、ダイニングルームのとなりにある部屋に向かう。リビングルームっていえばいいのにと、舞は思う。「団らん室」なんて、まるでみんなで団らんすることを強制されているようで、どうも気に食わない。

「なんだゲームあるのかあ！　テレビもネットもなくて死ぬかと思ったー」

と大喜びしたのはのえみだ。舞《まい》はあまりゲーム好きではないが、テレビもネットもないなら、やってもいいかなと思った。

ところが、「団らん室」へ行ってみると、ソファーが三つ、コの字型に置いてあり、ローテーブルがふたつ並んでいるだけだ。本棚《ほんだな》には本がぎっしりと並んでいるが、それらしきものは見当たらない。みんなはきょろきょろしている。

どうやって遊ぶんだろう？

部屋の端《はし》にある小テーブルには、箱がたくさん積んであった。ゲームに使うはずの液晶《えきしょう》ディスプレイはどこにもない。大勢だから壁《かべ》に投影《とうえい》するのかとも思ったが、そういう装置も見当たらない。

「ゲ、ゲームってひょっとして……」

舞の声は、あっというまにかき消された。

「うお、すげーな」

「昔なつかし人生ゲーム、モノポリ、将棋《しょうぎ》、碁《ご》、チェス、オセロ、トランプ！」

喜んでいるのはイトワン＆ツーだけだ。残りの五人は困った表情をしている。

「さあ、好きなゲームをどうぞ」

鈴木《すずき》先生は、あれこれテーブルゲームを手に取り、ローテーブルに並べた。

「鏡花《きょうか》さん、チェスやったことある？」

純《じゅん》くんがチェスの箱を手に、鏡花ちゃんに話しかけた。鏡花ちゃんは「うん、もちろん」と答えて、ふたりは早速《さっそく》チェスを始めた。

「えー、チェスなんてルールも知らないよお。てゆーか、ここにあるゲーム、ぜんぶやったことないもん。モリブはあ？」

のえみがすねた声を出した。

「わたしもそうだよ。ま、ふつうそうでしょ。今どきテーブルゲームなんてさ」

イトワンがモノポリゲームを手に、大きな声を出した。

「これ、おもしれーぞ。やる人いる？」

ツーとプーさんが手をあげた。

「えー」といいつつ、のえみも「モリブ、やってみよっか」と、舞の手首をつかんで上にまっすぐあげた。

「ちょ、待ってよ。そういうの苦手だから、わたしは」

「えー、いいじゃん！」

「横で見てる」

のえみの横に座って、舞《まい》はモノポリゲームを始めた四人の手もとをただ眺《なが》めるだけにした。

超《ちょう》つまんない。スマホで検索《けんさく》したいことが山ほどあるのに。アップロードしたいことが山ほどあるのに。

ため息まじりに舞がふと顔を上げると、部屋の片隅《かたすみ》にカメラを見つけた。

そっか、カメラ、ずっと回ってるんだった。めんどくさ。

舞はカメラに向かって、ピストルを撃《う》つまねをした。


シャワーを浴びたあと、舞はのえみのベッドの上に座ってしゃべっていた。

「さっき下で退屈《たいくつ》で死ぬかと思った。スマホが恋《こい》しい」

「わかる！　あたしもだよー。クラスの子にさあ、ここに参加するっていったんだよね。でさ、毎日報告するからねーって約束しちゃったのに。でもさ、モノポリゲームはけっこうおもしろかったよ。今度いっしょにやろ！」

「うーん、ゲームって苦手なんだ。勝ち負けを競《きそ》うのがストレス。それより、やっぱスマホが欲しい」

「モリブー、しょうがないじゃん。ないんだから。でも鏡花《きょうか》さんは、スマホなくてもぜんぜん平気っぽいね？」

いわれて振《ふ》りむくと、鏡花ちゃんはベッドの中で本を読んでいた。

「ああ、鏡花ちゃんは読書が趣味《しゅみ》だから」

「さすがだよね。ねえ、鏡花さんて、あの名門私立大附属《ふぞく》なんだよね？　ゲームしてるとき、純《じゅん》くんと話してるの聞こえちゃった」

「うん。そう」

「すごーい。わたしなんかには雲の上の人だなあ。モリブは？」

「え……わたしは……」

国立大学附属中学校ですなんて、いいたくない。

舞は口をもごもごさせてから、やっと答えた。

「家の近くの……中学校」

「あたしも！　そういえばさ、モリブってどこに住んでんの？」

「小金井市《こがねいし》。のえみは？」

「わりと近いじゃん。あたしは立川《たちかわ》だよーん」

「同じ東京都下０３コンプレックス組か」

「ふふふ、そうそう。あ、でも調布市《ちょうふし》とか狛江市《こまえし》とか、なぜか市外局番が０３なんだよね。イトコんちがそうなんだ。ずるくなーい？」

「ずるい。でも、今どきは固定電話のない人も多いし」

「そっか。うん、それにママにいわせると、それより車のナンバーが恥《は》ずかしいらしいけどね。じゃあ鏡花《きょうか》さんも小金井市？」

「ううん、彼女《かのじょ》は港区《みなとく》の高級タワマン」

「やっぱりねえ。お嬢《じょう》さまだろうと思った！　そういえばさっき、純《じゅん》くんも港区に住んでるっていってたよ。あと、なんとかっていう中高一貫《いっかん》の男子校だって、鏡花さんと話してた。で、その中学の名前を聞いて鏡花さんが名門だねっていってたから、きっと東京でトップレベルなんじゃないかなあ？」

「へえ。まあ、そんな感じの学校に行ってるだろうと思ってた」

「あたしなんか、学校名聞いてもわかんなかったけど、どっちにしても別世界って感じ。それにしてもさあ、似てないよねえ、モリブと鏡花さんって」

「悪かったね」

「あ、ごめんごめん、えへへ。そのほうがつきあいやすいから、うれしいもん」

のえみが笑いながらあやまるから、舞《まい》もつられて笑ってしまう。

「いいよ。慣れてっから」

「でもさ、鏡花さんはきれいで華麗《かれい》だけど、モリブもカッコいいよ。男前！」

「いいよ、無理しなくて。あー、こんなとこに三週間もいたら死ぬ。今日一日が十年ぐらいに感じたよ」

「モリブったら、おおげさすぎー」

のえみはまた笑うが、舞はため息をつく。べつにおおげさにいっているわけではない。本当に時間がたつのが遅《おそ》くて、イライラしっぱなしだった。

舞はのえみに顔を近づけて、声を落とした。

「ねえ、のえみ、わたしといっしょに、ここから逃《に》げださない？」

「えっ⁉」

「しーっ。声を落として。ねえ、脱走《だっそう》しようよ。あと何日かここにいたら、気が変になると思う」

「で、でもさ……」

「朝早く出れば夕方までにはふもとに下りられるでしょ。そしたらヒッチハイクでもすりゃいい。いっしょに行こうよ。朝イチで事務室にスマホを取りかえしに行ってさ。滝乃川《たきのがわ》さんが事務室に持っていくの見たから、絶対あそこにあるはず」

「う、うーん。でもあたし、山の中歩くのこわいなあ。体力もないしい。それにここにいるの、たしかに退屈《たいくつ》だけど、それほど悪くないし……」

「えー、のえみ根性《こんじょう》ない」

「脱走《だっそう》なんてやめなよお。危ないってば。誰《だれ》かが熊《くま》もいるっていってたじゃん？」

「そんなもん、どうせいないよ」

「でもさ」

そのとき、急に電気が消えた。

「なに、なにこれ！」

「停電？」

「ううん」と、鏡花《きょうか》ちゃんのかわいらしい声が聞こえてきた。

「たぶん、消灯時間だからよ。下でスイッチを切っているんでしょう。おやすみなさい」

月明りでほんのり明るいなか、鏡花ちゃんがふとんにもぐりこむのが見えた。

「おやすみ」

舞《まい》はしかたなく自分のベッドに移動し、ふとんに入る。薄寒《うすさむ》いから、冬用のふとんでちょうどよさそうだ。

しかし、ちっとも眠《ねむ》くならなかった。この時間はいつもなら、SNSに書きまくる時間だが、スマホはない。PCもない。テレビもない。テーブルゲームは古臭《ふるくさ》いものばかりで、二時間もみんなにつきあって横で見ていたが、死ぬほど退屈だった。食べ物は、まずいわけではないが、味が薄い。

これが三週間も続くなんて、絶対ムリ。

そういや、昔の人はどうしてたんだろう。おばあちゃんが生まれたのって、七十年以上も前のことでしょ。スマホどころかコンピュータもない時代だけど、テレビぐらいはあったのかな。前にコンビニはなかったっていってたな。缶《かん》ジュースもタピオカもポテチもなかったのかな。たぶん、ドレッシングもマヨネーズもケチャップもない時代だったんだろうな。

きっと、ここみたいな毎日だったんだろう。毎日こんなつまんない生活してたなんて、信じられないや。週末はなにしてたんだろう?

おばあちゃんが生きてたらなあ……。

舞《まい》は、なぜかひさしぶりにおばあちゃんを思い出してしまった。

さっきはじょうだんまじりに脱走《だっそう》しようと持ちかけたが、のえみはちっとも乗り気じゃなさそうだった。いくらなんでもひとりで脱走する勇気はないが、三週間もここにいるしかないのかと思うと、憂《ゆう》うつになってくる。

しばらく考えごとをしていると、両側から寝息《ねいき》が聞こえてきた。どうやら眠《ねむ》れないのは舞だけらしい。

寝返《ねがえ》りをうつと、月が正面に来ていた。さっきよりずっと明るい。月明りで本でも読めそうなレベルだ。カーテンを閉めればいいのだろうが、薄《うす》寒くて、ふとんから出たくない。

「この世には、もうわたしとあんたしかいないのか」

大きな満月に話しかけた自分がバカバカしくなって、舞は苦笑いをして目をつぶった。

まあこうやっていれば、そのうち眠くなるだろう。

ところが、夜鳥の鳴き声が聞こえてきて、ちっとも眠くならない。夜中に鳴くのはフクロウだけだと思っていたから、意外だった。鳴き声がどんどん大きくなっていくような気さえする。

舞は寝返りを延々《えんえん》とくりかえした。

朝七時、あたりがすっかり明るくなったころ、カランカランという例の鐘《かね》の音で目を覚ました。ぼーっとしたまま着替《きが》えると、鏡花《きょうか》ちゃんがさわやかな笑顔《えがお》でいった。

「ベッドメイキングをやらないとね」

「はいはい」

ぐじゃぐじゃになっていたシーツを引っぱり、羽毛ぶとんを枕《まくら》の上までのせて、ベッドカバーで隠《かく》しておしまい。

あくびをしながら窓を開ける。山の朝は空気がひんやりしている。

朝食にはオートミールを牛乳で煮《に》た、ちょっと甘《あま》いおかゆみたいなものが出てきた。みんなが食べているから舞もムリして食べたが、正直おいしいとは思えなかった。あとはフルーツ各種とヨーグルト、コーヒーか紅茶かミルク。希望者にはゆで卵。メニューは毎日変わるらしい。イトワン&ツーは、オートミールを三回もおかわりして、嬉々《きき》として食べていた。

いつもはコンビニの菓子《かし》パンとカフェラテだけの舞には健康的すぎる朝食のあと、寝不足《ねぶそく》で思考回路が停止してしまい、ぼけっとしていた。

「ではジャージに着替えて部屋で待機してください。わたしが女子部屋を、滝乃川《たきのがわ》さんが男子部屋のベッドメイキングをチェックしに行きます」

と鈴木《すずき》先生にいわれたとき、みんなは「えー」と口々《くちぐち》にいったが、それ以上はなにもいわなかった。でも舞《まい》は、今ポロシャツとスカートに着替《きが》えて朝食をしたばかりなのに、また着替えるなんて非効率的だと、反論した。

「ええ、これから散歩に行きますので、動きやすいほうがいいでしょう」

鈴木先生はいつでも穏《おだ》やかだ。それが気にさわる。

「だったら、最初から今朝はジャージで朝ご飯食べればよかったんじゃないですか？」

もっともな論理だろうと、自分で思った。

「けじめというものです」

鈴木先生の静かな声には威圧感《いあつかん》があって、舞はよけいムッとした。

形だけのけじめなんて、いらない。くだらない手続きばっかりなんて最悪だ。エネルギーと時間のムダづかい。こういうのが学校や国を腐《くさ》らせてるんだ。バカバカしい！

そうは思ったが、さすがに口には出さずにぐっとがまんした。

「おめー、オレたちよりずーっと反抗的《はんこうてき》だな。不良！」

イトワンに茶化されたが、舞は黙《だま》って食堂を出て、階段を上った。

着替え終わったころ、コンコン、とドアをノックする音と同時に、鈴木先生が入ってきた。ノックをして返事を待たずに入るのか、と舞はまたしてもムッとしたが、黙っていた。鈴木先生は、まず手前の鏡花《きょうか》ちゃんのベッドメイキングをチェックした。

「はい、けっこうです。次」

舞のベッドの横に来て、鈴木先生はダメ出しをした。

「やり直してください」

「は？　なんでですか？」

「篠塚《しのづか》さんのベッドメイキングをご覧なさい」

ちらっと鏡花ちゃんのベッドに目をやる。ちがいがあるように見えない。まあ、向こうのほうがベッドカバーのしわがピッとのびてはいるが。

渋々《しぶしぶ》自分のをやり直す。

「ダメです。よく見なさい。枕《まくら》のところで一度、ベッドカバーをこう、ぐっと押《お》してあるでしょう」

よく見れば、鏡花ちゃんのベッドカバーは、枕の形がくっきり見えるようになっているようだが、たいしたちがいはない。

「はあ。まあでもわたし、その道のプロになるつもりはないんで」

と、憎《にく》まれ口をたたいた。

「そういう問題ではありません。けじめの問題です。やり直し」

またけじめか。形だけのけじめ。なぜこう何度もやり直しをさせられるのか、さっぱりわからない。ベッドカバーは、寝具《しんぐ》をカバーしていればそれでいいじゃないか。

いい返そうかと思ったが、となりでのえみがあわてて自分のベッドメイキングをやり直しているのを横目で見て、あきらめた。反抗《はんこう》にはエネルギーが必要なのだ。

もう一度ベッドメイキングをやり直す。

「まあ、いいでしょう。はい次、サンダーさん。よろしい。では三人とも下に降りてきてください」

鈴木《すずき》先生はスタスタと部屋から出ていく。

舞《まい》はその後ろ姿をにらみつけた。

その日の午前中は四時間ぶっ通しで山の中を歩かされ、帰ってくるとヘトヘトだった。ハイキングは楽しかったし、展望台からの景色はたしかに良かった。が、深い緑色の山が延々《えんえん》と連なっているばかりで、舞はすぐに見飽《みあ》きてしまった。

楽しみにしていたランチは、自家農園の大和《やまと》イモのとろろに生卵を合わせた、とろろ卵がけご飯に、なめこのみそ汁《しる》、むかごの甘辛煮《あまからに》に、川魚の塩焼きというザ・和食メニューだった。

みんなは「いただきます！」と手を合わせたあと、うれしそうに食べはじめた。途中《とちゅう》で伊藤《いとう》兄弟が何度も箸《はし》の持ち方で滝乃川《たきのがわ》さんに注意されていたが、意外なほど素直《すなお》にいうことをきいて、ふたりはそのたびに箸を持ちなおした。のえみはブウブウ文句をいいつつも、「腹ペコだから」という理由でパクパク食べた。

舞は、焼き魚以外、一切《いっさい》手をつけなかった。生卵も、とろろ系やナメコのぬるぬるしたものも苦手だし、むかごにいたっては、見た瞬間《しゅんかん》に「ぎゃあ」と叫《さけ》んで、思わず小皿を退《の》けようとしてひっくり返してしまった。

鈴木先生に

「食べ物を粗末《そまつ》にしてはいけません！」

と怒鳴《どな》りつけられ、あわててテーブルの上に転がったむかごを箸でのろのろと小皿にもどしたが、口をつけなかった。「ヤマノイモの葉のつけ根にできる球芽」といくら説明されても、どうにもこうにも、まるっこい虫やカタツムリの一種にしか見えなかったのだ。

それでまた鈴木《すずき》先生に怒《おこ》られた。

「いいかげんになさい、森さん。あなたにアレルギーがまったくないことは承知しています。ただの好き嫌《きら》いで魚以外ぜんぶ残すなんて、許しませんよ。飢《う》え死にするほど空腹になったことがないから、そんなワガママをいえるんですよ」

「そうだ、このワガママ娘《むすめ》！」

「グダグダいってねえで食えよ！」

イトワン&ツーの悪口が飛んできたが、聞こえないフリをした。たしかにお腹《なか》は空《す》いていたが、虫も爬虫類《はちゅうるい》もきらいな舞《まい》には、見た目がそういったものを連想させる食べ物は、もう生理的に無理なのだ。

そのうちに、イトワンは舞の残した皿をさっさと自分のほうに引きよせて、兄弟であっという間に平らげた。

午後は夏休みの宿題や掃除《そうじ》をやらされた。

昼に焼き魚しか食べていない舞が空腹でヨロヨロしていると、オヤツにおやきという、一見まんじゅうのようなものが出た。冷たい麦茶とまんじゅうだと思って、大喜びでひとつ手に取り、パクリと食いついた。

しかし、中にはニラがぎっしり入っていた。てっきり甘《あま》いものを想像していたからびっくりして、思わず左手に吐《は》きだしてしまった。それと右手に残っていたおやきをティッシュにくるんでこっそり捨てようとしていると、鈴木先生に見つかってしまった。

「なんてことするんですか！　口をつけた以上、最後まで食べなさい！」

ガミガミ説教され、舞はほとほといや気がさした。

それにしても、どうなっているのだろう。あの苦いニラ入りおやきを、みんなはうれしそうに食べている。イトワン&ツーに至っては、三つずつ食べている。おかしいのは自分の味覚なのかと、さすがの舞も考えた。

「肉まんみたいなもんじゃん」

とのえみにいわれてみれば、確かにそうかもしれない。だが、もともとニラが苦手な舞には、おいしいとは思えないのだ。

好き嫌いが多すぎるのは自分でもわかっているが、母も同じようにニラや春菊《しゅんぎく》、ウドみたいなアクの強い系と、山イモやなめこのぬるぬるとろとろ系、イナゴのつくだ煮《に》などの虫系や生き物の形が見えるものが大嫌《だいきら》いで、レトルトやインスタント食品が好きなのだ。家でお頭《かしら》のついた魚を見たことがない。母はお頭がついていると怖《こわ》くて触《さわ》れないらしい。食べ物の好き嫌いは、DNAの問題なのかもしれない。

親子そろって嫌いなニラでも、味がわからないぐらい濃《こ》い味つけならば、なんとか食べられたかもしれない。だが、おやきの味つけはいつものように薄《うす》かった。

キャラメルコーンだのカラフルなグミだの、ポテチだのカップラーメンだのと、濃い味つけのものばかりを食べている舞《まい》には、ここの食事はすべて味がないように感じる。

舞は空腹で少しめまいを覚えながら、団らん室で誰《だれ》と話すこともなく、自由時間をぼーっと過ごした。本棚《ほんだな》に入っている本に手をのばそうかとも思った。小学校のころは本を読むのが大好きだった。でも目が回りすぎて、読みたい本を探す元気すら出なかった。

なんとか夕食まで空腹をがまんすると、「やっと人の食えるシロモノ」のカモ南蛮《なんばん》うどんが出てきた。自分の知っている東京のうどん屋のそれと比べると、味がやけにさっぱりしているが、とにかくむさぼり、おかわりもして、黙々《もくもく》とかんでは飲みこみながら、舞は決心した。

明日の早朝、出ていってやる。

7 暁《あかつき》の逃亡《とうぼう》

夜行性の鳥の声がまだ聞こえてくる時間に、舞はむっくり起き上がった。

一睡《いっすい》もしていなかったから、頭は冴《さ》えている。夜中に出ることも考えたが、さすがに真っ暗な山道を歩く勇気はなかった。夜明け前に出て少しだけがんばれば、すぐに明るくなるはずだ。

今が何時かわからないが、五時前後ではないかという気がしていた。舞がいないことは、七時過ぎにはバレてしまう。

夜明け前のしんとした部屋の中で、こそこそとベッドから下りる。玄関《げんかん》前の外灯の光が、ほんの少し二階にも入ってきていて、物の輪郭《りんかく》がぼんやりと見える。

ベッドサイドテーブルの引き出しに入れておいた新しい靴下《くつした》をはいて、忍《しの》び足でクローゼットに近づき、中からバックパックを引っぱりだす。昨日の午後、こっそり部屋にもどってきて、自分の持ち物をぜんぶ詰《つ》めておいた。

クローゼットを閉めるときにガタン、と少し音をさせてしまった。びくっとしたが、のえみや鏡花《きょうか》ちゃんの寝息《ねいき》がスウスウ聞こえてきて、ほっとした。

パジャマ代わりに着ている自分のトレーニングウエアの上から、ユニフォームのウインドブレーカーをはおる。

バックパックを背負い、部屋を出ようとして、開けたドアの上の大きな時計に目をやる。暗くてよく見えない。しばらく目を凝《こ》らしていると、やっと見えた。五時半。まだ起床《きしょう》時間まで一時間半あるが、鈴木《すずき》先生と滝乃川《たきのがわ》さんは六時半には起きるだろう。シェフと奥《おく》さんは、ひょっとすると、もっと早く起きてしまうかもしれない。

急げ。

音を立てないように気をつかいながら、薄《うす》暗い階段を下りる。床《ゆか》すれすれにある安全灯のおかげで、どうにか進む方向は見える。

大広間を抜《ぬ》け、玄関《げんかん》のとなりにある事務室へ行く。ドアノブを回してみると、開いていた。そっとドアを開け、中に入った。

表玄関にある外灯から入る光で、事務室はほんのりと照らされている。机の後ろにある棚《たな》には本やプリンターしかない。机の前にあるキャビネットに手を伸《の》ばす。が、鍵《かぎ》がかかっていた。

きっと机の中にあるのだろう、と机のほうに回って引き出しを開けようとすると、これまた鍵がかかっている。

最悪。のろのろしていると夜が明ける。

少なくとも、懐中電灯《かいちゅう》ぐらいはないと、と思ってきょろきょろしていると、ふと窓際《まどぎわ》の低いキャビネットに鍵がさしたままになっているのが見えた。

近づき、そっと開けてみる。

そこには、見覚えのある小さなカゴがあった。滝乃川さんがみんなから没収《ぼっしゅう》したスマホやパッドを入れたあのカゴだ。舞《まい》はドキドキしながらそれを引っぱりだし、自分のスマホをいち早く見つけて握《にぎ》りしめた。

ヤッタ！　相棒。

二年近くも愛用している自分のスマホを手にすると、急に安心感を覚えた。

もうひとりじゃない。

そういえばなにも食べ物を持っていない。下山に何時間かかるかわからないから、食べ物と飲み物があったほうがいいに決まっている。

没収されたスナック類を探したが、それは残念ながらどこか別の場所にあるらしい。キッチンの奥《おく》の貯蔵室かもしれない。

しかし夜明けは近いはずだ。早くしないとまずい。

大広間を横切りキッチンに行こうとして、舞《まい》は足を止めた。鈴木《すずき》先生か滝乃川《たきのがわ》さんにばったり会う確率は高い。とくにシェフは、朝の仕込《しこ》みもあるから、六時ぐらいには起きるだろう。だめだ。もう行かなきゃ。半日ぐらい食べなくても、きっとなんとかなる。森の中にきっとブルーベリーとかラズベリーとかいっぱい生えてんでしょ。そんで駅でなにか買って食べよう。貯《た》めてたおこづかいもあるし、母が念のためにくれた三千円もある。これで切符《きっぷ》とおにぎりと水ぐらい買えるか。ま、足りなかったらヒッチハイクだ。

キッチンに行くのはやめて、そのまま玄関《げんかん》に向かい、少し音のきしむシューズボックスから自分のスニーカーを取りだして、はいた。

玄関の鍵《かぎ》をなるべく音を立てないように回して、そーっと重いドアを押《お》す。

外の冷たい空気が、鼻から肺に入ってきた。舞は思いきりそれを吸い、夜明け前の庭に足を踏《ふ》みだした。まだ暗いが、あたりは外灯で照らされている。

たしかあっちのほうから来た。

芝生《しばふ》の庭を横切り、森に続く砂利道《じゃりみち》をめざす。

うっすらと明るくなりはじめてはいるはずだが、背後の外灯から離《はな》れるにつれて、少しずつ暗くなっていく。

だんだん胸が高鳴ってきた。

さあ出発だ！

鏡花《きょうか》ちゃんとのえみには悪いけど、わたしは東京に帰るよ。


犬小屋のほうを気にしながらそっと進んでいくと、ヴォン！　という吠《ほ》え声が聞こえた。

まずい、ゴンタに見つかったか。

夜間は鎖《くさり》でつながれているゴンタは、鎖がピンと張るほど必死にこっちに近寄ろうとしている。このまま去ると、ヴォンヴォン吠えられそうだ。

しかたがないから、犬小屋のほうへ駆《か》けよる。

「しーっ、しっ、ゴンタ。わたしは出ていくからね。元気でいるんだよ。みんなまだ寝《ね》てるんだから、吠えちゃダメ。わかった？」

頭をなでてあげると、ゴンタはキュンキュン鼻を鳴らして、舞の手をペロッとなめた。

「ゴンタと遊びたかったけどさ……。もう行かなきゃ。じゃね！」

クイーン、と鼻を鳴らすゴンタを後にして、忍《しの》び足で屋敷《やしき》から離《はな》れる。

芝生《しばふ》から出て砂利道《じゃりみち》に足をのせると、ジャリ、と音がして、ドキッとした。思ったより足音を大きく感じた。

音をさせないようにそっと進んでいくと、やがて木々《きぎ》に囲まれた林道になった。車で送ってもらったときに通った道だ。

夜明けはもうすぐとはいえ、森の中は暗い。スマホの電源を確認すると、四十％もない。そしてあいかわらず電波は圏外《けんがい》だ。

音楽を聴《き》けばさびしくないはずだが、今はそれより、足もとを照らすライトが欲しい。

舞《まい》は音楽を聴くのをあきらめて、スマホをライトとして使うことにした。

暗い森の中を進むことが、こんなに怖《こわ》いとは思わなかった。足もとはスマホのライトで明るいが、前にあるはずの道が真っ暗で見えない。左右の森は黒々《くろぐろ》としていて、もっと怖い。まわりを見ると怖くなるから、照らされた足もとだけを見る。

音楽があればきっと気分がちがうだろうが、節電のためにはしかたがない。夜明けまでのがまんだ。

黒い森から、生き物の鳴き声だけが響《ひび》いてくる。低く、ぶきみな鳴き声だ。まだ真っ暗だから、夜行性の鳥なのか？　それとも虫か、動物か。

ときおり風が吹《ふ》いてくると変な鳴き声の合唱はかき消され、葉擦《はず》れがザワザワと波のように押《お》しよせてきては、すーっと引いて静かになる。そしてまた鳴き声だけが響く。

落ちつかない気分になり、つい早足になってしまう。下り道で石ころが多いから、何度も転びそうになる。

ひとりぼっちだ。東京の家に夜ひとりでいるときと、またちがった「ひとりぼっち」感だ。黒い森と舞の間には壁《かべ》がない。ガラスもない。闇《やみ》との間を隔《へだ》ててくれるものが一切《いっさい》ない。そして暗闇《くらやみ》は延々《えんえん》と続いている。

そうだ、歌おう。できるだけ明るい曲がいい……。

と思ったが、ふだん暗い曲ばかりを聴いているから、歌詞を知っている明るい曲といえば、ほんの二、三しかない。それを小声でリピートしながら、前に進む。

ジャリジャリといった足音が、やがてサクサクに変わった。人工的に敷《し》かれた角のない丸い小石の敷きつめられた道ではなく、草と土、角張った小石が多くなってきた。

日が昇《のぼ》ってきた。林道の部分だけ木が生えていないから、そこに光が差してくる。スマホのランプを消した。

黒かった森に、色がつきはじめた。深緑、濃《こ》い緑、薄《うす》い緑、黄緑。

「あー、太陽って偉大《いだい》！」

声に出してみた。どうせ誰《だれ》もいないのだから、歌おうがしゃべろうが自由だ。

スマホを見ると、六時五十分。もうすぐ、舞《まい》がベッドにいないことがばれてしまう。

左手に、やっと人ひとりが歩いて入っていけるほどの細い森の小径《こみち》が見えた。踏《ふ》みかためられた土だ。

あの小径を行くと、どこにたどりつけるんだろう？

そんなことを思いながら、通りすぎた。しかし、急にあることに気づいて、立ちどまった。

そうだ、この林道を行くのはダメだ。滝乃川《たきのがわ》さんが車で追ってきたら、すぐに捕《つか》まっちゃうだろう。車が走れる林道はやめて、あの小径を行こう。

引き返して、さっきの小径に入る。最初はどこかにたどりつきそうな感じだったから、安心してズンズン行った。やがて小径はあいまいになり、最後には草がぼうぼうに生えているただの森の中になってしまった。昔はなにかの目的で使っていた小径だったのかもしれないが、今はなにもない所で終わっている。

あまり林道から離《はな》れてしまうと迷子《まいご》になるかもしれないと思い、舞は少しもどり、林道からぎりぎり見えなさそうな距離《きょり》を保って、平行に歩くことにした。

木の根が複雑にからみあい、しょっちゅう転びそうになる。ところどころに大きめの石もあって、一度転んだ。右手に持っていたスマホをかばおうとしたため、左のひじを岩に打ちつけてしまった。

「いったーっ」

血が出ているかと思ったが、赤くなっているだけで血は出ていない。

「ま、スマホが無事でよかったけどさ。あ……」

お気に入りだったジャージのひざのところが、いつのまにか裂《さ》けていた。

「ちぇっ！　ま、いっか。ワッペンをたくさんつけてかわいく直そう！」

声に出していう。

背すじがぞくっとするのは、怖《こわ》いせいか、寒いせいか。朝露《あさつゆ》で草が濡《ぬ》れているから、ジャージの脚《あし》も、スニーカーも、びちょびちょになってしまった。

「だいじょうぶだよ、もうすぐ気温がぐんぐん上がってくるからさ」

「だよねー」

ひとりで返事もする。

「ワクワクはらはら、ハイキング。さあ、がんばろう」

ヒョンヒョン、キーッ。ピーッ、ピーッ。

鳥だかなんだかの声しかしない。

「鳥語がわかれば楽しいだろうけどね」

ウキウキしたふりをしても、長続きはしない。草は冷たいし、一睡《いっすい》もしていないせいか、そろそろ疲《つか》れてきた。運動神経と体力には自信があるほうだが、森の中は足もとが悪くて、枝や茂《しげ》みをかきわけて進まなければならない。まるで水の中を歩いているように疲れる。

うっそうとした背の高い茂みの中を、どのくらい歩いたかわからなくなってきた。虫が顔の前にたかってくるから、それを手で追いはらいながら歩く。蚊《か》にも刺《さ》され、蚊ではない変な虫にも刺され、ひざがガクガクしてきた。

急に、遠くからエンジン音がしてきた。振《ふ》りかえると、もうすっかり明るくなっている林道を車が下ってくる。裏の駐車場《ちゅうしゃじょう》にいつも停《と》まっているミリタリーグリーンのSUVだ。

ヤバい。

舞《まい》は腰《こし》をかがめて、茂みの間に隠《かく》れた。

車は比較的《ひかくてき》ゆっくりと進んでいる。距離《きょり》があるし運転席が反対側だから顔は見えないが、滝《たき》乃川《のがわ》さんだろう。助手席の窓からゴンタが顔を出しているのが見えた。

舞を捜《さが》しているにちがいない。今はゴンタが車の中だからいいが、もし車を降りて犬の嗅覚《きゅうかく》で地面の匂《にお》いをかぎはじめたら、見つかってしまうかもしれない。ゴンタはとろそうだが、一応犬である。

車が遠ざかるのを確認してから、スマホで時間を確認すると、七時二十九分。舞がベッドにもトイレにもどこにもいないのがばれて、捜しに来たのだろう。

もっと林道と離《はな》れたほうがいい。

舞はどんどん森の奥《おく》へ入っていった。

深い森の中は、日がすっかり昇《のぼ》っているというのに案外暗い。直射日光は葉がうっそうと茂った木々《きぎ》の下まで届かないからだろう。天気のせいかもしれない。そういえば、ついさっきまで朝日の木もれ日が心地《ここち》良かったのに、あたりは急に薄《うす》暗くなってきた。

「やだなあ。まさか雨とか降らないよね」

と声に出しながら、念のためウインドブレーカーのフードをすっぽりかぶり、小さな声で歌を歌う。

しばらく歌っていると、今度は喉《のど》がからからになってきた。水も飲みたいし、お腹《なか》が空《す》いて、胃袋《いぶくろ》がギュルギュル鳴っている。

夏なんだから、なんか食べられるもんがあってもいいよね？

キョロキョロするが、怪《あや》しげなキノコぐらいしか目に入らない。

「森の中ってさ、ブルーベリーとかラズベリーとか、ごろごろなってるもんじゃないのか」

「ですよねえ」

「なにもないじゃん」

「鳥とかはどうしてるんでしょうね？」

「虫でも食べてるんだろうね」

「げえ」

自分でもむなしくなる自己完結会話を続ける。そうでもしていないと、押《お》しよせてくる恐怖《きょうふ》心《しん》におぼれてしまいそうだ。夜でもないのに、なぜこんなに不安になるのだろう。

やがてそんな一人芝居《しばい》にも疲《つか》れて、食べ物を探す気力もなくなってきた。

水ぐらい持ってくるべきだった。バカだ。

足を止め、耳を澄《す》ませてみる。ひょっとして、どこかに湧《わ》き水でもないかと期待したが、水が流れるような音はぜんぜんしない。ため息をついた後、ふと、目の前の葉っぱにたくさんついている朝露《あさつゆ》を見て思った。

これ、飲めるよね？

葉っぱの下にそっと口を持っていき、葉を斜《なな》めにする。ほんの数滴《すうてき》、舌の上に水が落ちた。

それを何度もくりかえすと、少なくとも口の中の渇《かわ》きは少し収まった気がした。水の問題はなんとかなりそうだ。

しかし、空腹はどうしようもない。ちがうことを考えて気を紛《まぎ》らわせようと思った。たとえばなにか楽しいこと……。なにも思いつかない。

じゃあ、家に帰ったらなにをするか考えよう。スマホを充電《じゅうでん》して、SNSに今回の事件をおもしろおかしく書きこもう。それからコンビニに行って、スナックを買おう。キャラメル味のポップコーンに、プリンに、ポテチ。メロンソーダを買って、バニラアイスも買って、ソーダフロートを作ろう。あと、カップ焼きそば。あの異常に濃《こ》い味が恋《こい》しい。それから……。

無事に帰れたら、の話だけど。

さっきまでの強気はどこへやら、もしかしてとんでもない大失敗だったのかもしれないと、舞《まい》は後悔《こうかい》しはじめていた。

全身びちょびちょで、今にも雨が降りだしそうな空はどんよりと暗く、木もれ日どころか、足もとさえろくに見えない。歩いても歩いても、ちっとも下山できない。下っているはずなのに、ときどき上りにもなる。すでに方向は定《さだ》かでない。

ブルブルッと背すじに震《ふる》えが走った。

体は確実に冷えてきている。

「最後まで、森の家でがまんして過ごせば良かったかなぁ……なんてね。意気地《いくじ》なしだな、わたし……」

スマホを見ると、まだ八時だ。

「なんか丸一日歩いた気がするけど、まだ二時間半も歩いてないのか」

信じられない。なぜこんなに体力が消耗《しょうもう》しているんだろう？

スマホの電池を一度切ったほうがいいかもしれない。いざというときのために。

舞《まい》はスマホをオフにして、ウインドブレーカーのポケットに入れ、ファスナーを閉めた。

「よし、がんばろう、もうすこ……」

足もとが滑《すべ》った。苔《こけ》の生えた石に足を乗せてしまい、ぬるっとした感触《かんしょく》でマズいと思った瞬《しゅん》間《かん》、舞の体はふわりと宙に浮《う》いていた。

しかも同じ場所に着地せず、そのまま斜面《しゃめん》をどんどん転がっていく。枝やら草やらが目を襲《おそ》ってくる。舞はとっさに左のひじで顔をおおい、なにかにつかまろうと必死に右手を伸《の》ばす。

だが、ぜんぜんつかめない。やっとつかんだ草は瞬時《しゅんじ》にちぎれてしまう。

「きゃああああああ」

叫《さけ》びながら、舞は落下していく。

ドン！

なにかに衝突《しょうとつ》して、体が止まった。全身の痛みがひどくて、息ができない。

しばらく痛みをこらえていると、やっと呼吸できた。

そして事態がのみこめた。ずいぶん落下して、大木に当たって止まったらしい。

まずい、助けを……。

ポケットの中のスマホを取りだそうにも、痛くてピクリとも腕《うで》を動かせない。

「助けて！」

叫んだつもりだったが、舞の声は、まわりの鳥のさえずりよりもはるかに小さかった。

しばらくじっとして呼吸を整えると、なんとか右手が動いた。ポケットに手を伸ばす。すり傷だらけでヒリヒリする指でファスナーを開けて、スマホを取りだす。電源をつける。じれったいほどの遅《おそ》さで、やっと画面が出てきた。

電池残量二十%。電波は、電波は……。圏外《けんがい》。

笑いたくなってきた。カメラ機能も音楽も、もうすぐ電池不足で使えなくなる。発着信できないスマホ。それはもう、世界と舞をつなぐ窓でも、パートナーでも、なんでもない。ただのプラスティックの箱だ。

立ち上がろうにも、全身が痛くて、右手がかろうじて動くだけだ。

どうしよう。このまま動けなかったら？　ずっとこのまま、ここにいるなんてね？

うそでしょ。こんなところで人生に終止符《しゅうしふ》を打つなんて、バカみたい。

そんなのいやだ！

痛みをがまんしながら、舞《まい》は冷静になろうと必死になる。

体は動かない。電波はない。自分のいる場所はだれにもわからない。

だとすると、答えはひとつしかない。

――このまま、ここで朽《く》ちる。

自虐的《じぎゃくてき》にセルフィーでも撮《と》るか。最後の姿。でも、誰《だれ》もそれをアップロードしてくれないなら意味がないね。それとも、あとでスマホが回収されたときのために、メッセージを残しておくかな。「あとで」つまり自分の死後だ。誰に……。

少し考える。誰かに、なにか伝えたいとしたら、やはり母にだ。

録画スタート。

「ハハ……かあさん。ほんとはさ……」

いろいろと、伝えたいことがあった。この二年間、ずっとためていた想《おも》い。長いこと抗議《こうぎ》したくてもできなかったこと。

でも、もう、そんな複雑な話をする気力は残っていない。それに、今さらメッセージを残したところで、なんの意味がある?

もし、もう一度会えたら、絶対いおう。

「いい……ごめん。バイバイ……」

ストップ。

もしかしたら、またスマホを使う機会があるかもしれない。節電しなきゃ。まだ、生き残る可能性はゼロじゃない。簡単にあきらめるな。

ふっと笑いたくなった。でも笑うような力もない。笑ったり泣いたりするのは体力が必要なのだと、今悟《さと》った。

少し休んだら立ち上がろう。もしかしたら、立ち上がれるかもしれない。

楽しい歌でも歌おう。

暗い森をぼんやりと見ながら、舞はなにか歌いたかったが、ゆっくりと気が遠のいていくのを感じた。

8　孤独《こどく》と痛みと空腹と

頬《ほほ》になにかを感じた。

目をうっすらと開け、握《にぎ》っていた右手をゆるめてスマホをそのまま胸の上に落とし、指を動かしてみる。痛いし、しびれてはいるが、動く。その右手で、頬を触《さわ》る。

「わっ！」

声が出た。あわてて手に乗った大きなクモを払《はら》いのけると、腕《うで》に激痛が走った。でも、生きている。痛いんだから、生きているに決まっている。それに、痛みはさっきよりはずいぶん減っている。

いける。体中が痛いし、寒いけど、だいじょうぶだ。

スマホを見ると、九時五十分。オフにするのを忘れていた。二時間近くたっていて、電池はもう十％もない。

ゆっくりと、体を右に少しずつ回転させ、そばの木につかまりながら立ち上がろうとするが、えらく時間がかかる。痛くて、体が重くて、自由に動けない。

ヨロヨロと、なんとか立ち上がることができた。痛みとめまいでバランスをくずし、今にも斜面《しゃめん》をすべり落ちそうだ。

すぐ目の前に、太めの枝が折れていた。舞《まい》の体が押《お》しつぶして折ったのだろう。それを杖《つえ》にして、一歩踏《ふ》みだす。

いつのまにか雨が降りだしていた。

雨で森の土はどろどろになっていて、踏みこんだ足がズブズブと土に埋《う》まっていく。

「だいじょうぶ。あせるとまた転ぶ。落ちつけ、落ちつけ……。問題は、どっちに行けばいいかってことだ」

自分の声を聴《き》いていると、安心できた。

夢じゃない。あの世でもない。ちゃんとしゃべっている。

すべり落ちてきた方角は一目瞭然《いちもくりょうぜん》だった。茂《しげ》みの草はつぶれ、低木の細い枝はことごとく折れている。もと来た方角にもどらずこのまま山を下りるか。

下を見れば、急な斜面で、とてもじゃないが下りられそうにない。かといって、もとの林道に引きかえして山を下《くだ》るにしても、あと何時間歩いたらいいか見当もつかない。

森の家に帰るか。ゴンタと滝乃川《たきのがわ》さんは、まだ自分を捜《さが》してくれているか、わからない。もう何時間も見つからないから……。

――ひょっとして。

舞《まい》の頭に、「捜索願《そうさくねが》い」という言葉が浮《う》かんだ。いずれ、捜索願いを出されるにちがいない。山岳《さんがく》警備隊かもしれない。

ああ、それだけは避《さ》けたい。なんてバカだったんだろう。どうしてすぐにそうなることを予想できなかったんだろう。

ドラマで前に見たことがある。たしか、山岳警備隊とかに捜索してもらうと、すごくお金がかかるんだ。家にも連絡《れんらく》がいくだろう。ハハ……かあさん、ごめん。

とりあえず、今の状態で下山はどう考えてもムリだ。林道にもどってゴンタが見つけてくれるのを待つか、山を登って森の家に帰るしかない。

ものすごく時間がかかったが、さっき滑《すべ》った事故現場になんとかもどれた。いまいましい苔《こけ》の石だ。

だが、そこからがわからない。林道ははるか遠く、まったく見えない。しかも斜面《しゃめん》は複雑に上ったり下がったりしていて、どっちだったか思い出せない。

雨足が強くなってきた。舞は顔を上げて、口を開ける。けっこう降っているのに、木々《きぎ》の葉に跳《は》ねかえり、雨はまっすぐ落ちてこない。そのせいか、なかなか雨水が口の中に入ってこない。

「ちえっ」

ため息をつきながら、もう一度あたりを見まわす。

空を見上げても、ほとんど空は見えないうえに雨空だから、方角がわからない。ガールスカウトかなにかなら、森の中で方角を見分ける術《すべ》を知っているかもしれないが、舞にはもちろんそんな知識はない。それに、方角がわかったところで、森の家が東西南北どっちなのかも知らない。

基本としては、ただ斜面を上れば良いはずだが、あいにく起伏《きふく》があって、どっちに行くべきかわかりにくい。少なくとも、さっき落下してしまった方向に行くべきではないことだけは確かだ。

ウロウロして、ふと気がつくと、苔の石のところにもどって来ていた。

もしかすると、樹海ってやつか。

背すじがゾッとした。

熊《くま》に食われてニュースになるって、イトツーがいっていたけど、本当に熊がいるのかな。もし熊がいなくても、ここから抜《ぬ》け出せなければ森の家にももどれないし、東京にも帰れない。食べ物さえあればなんとかなるかも。あそこに生えてるキノコは食べられるのかな？　シイタケにもエノキダケにも似てないけど？　毒キノコかもしれないから、やめておこう。

ここらへんの雑草は食べられるのかな。まずいだろうけど、毒じゃないならこの際なんでも……。

と思って雑草をちぎって口に入れてかんだら、おそろしく苦くて、すぐに吐《は》きだした。

この森から抜け出せないと、いずれは白骨死体ってやつか。

いやだ。そんなの絶対にいやだ。どうすればいい？

舞《まい》は必死に考える。林道から離《はな》れるために歩いてきて、ここで滑《すべ》って向こう側に落下した。だったら、滑った方向と百八十度反対側にまっすぐ行くのが理屈《りくつ》というものだと確信した。

そういえば、さっきも、下ってるはずなのに、ときどき上りになった。この際、上り下りは無視して、方角だけにしぼろう。

すべり落ちたのとは正反対の方角へ進む。さっきは起伏《きふく》を避《さ》けているうちにぐるぐる回ってもどってしまったが、今度は起伏を無視して、上ったり下ったりしながら、ひたすらまっすぐ進む。

全身の痛みと、空腹と、冷え、そして疲労《ひろう》。歩いても歩いても、林道は見えてこない。さすがに、弱気になってくる。

滝乃川《たきのがわ》さんとゴンタは、まだわたしを捜《さが》してくれているかな。

「ゴンターっ」

ありったけの声をふりしぼって、何度も叫《さけ》んでみる。こうなったら、頼《たの》みの綱《つな》は、ゴンタの嗅覚《きゅうかく》と聴覚《ちょうかく》だけだ。

「ゴンターっ、ここだよーっ！」

しかし、鳥のさえずりさえも聞こえてこない。ザアザアポツポツ、容赦《ようしゃ》なく降る雨の音だけだ。

気が遠くなるような孤独《こどく》と、無力さを実感していた。そして、こんなときでさえ涙《なみだ》が一滴《いってき》も出てこない自分を、恨《うら》めしく思う。まわりには誰《だれ》もいないのに、泣かないクセがつきすぎているらしい。泣いたほうがすっきりするかもしれないのに。

足が前に進まなくなってきた。

あと少し、と自分にいい聞かせても、痛みに加えて、疲労がどんどんたまって、目がかすんできた。

よろめいて今にも倒《たお》れそうになったとき、遠くから、なにかが突進《とっしん》してくるようなすごい足音が聞こえてきた。草をかきわけて猛《もう》スピードでやってくる。

人間じゃない。大きな生き物だ。

熊《くま》か。

恐怖《きょうふ》のあまり、脚《あし》の力が一気に抜《ぬ》けてしまった。

結局、熊に食われるのか。

ザッ。前につんのめって、片ひざを地面についた。力尽《つ》きた。

「ヴォン！　ヴォンヴォンヴォンヴォン！」

聴《き》きおぼえのある吠《ほ》え声に、舞《まい》は顔を上げた。

木々《きぎ》の間を縫《ぬ》うようにして、ゴンタが走ってくる。

「ゴンタ！」

ドサッとおおいかぶさってきたゴンタに顔中をなめられて、体中に活力がみなぎってきた。

助かった。ゴンタに助けられた。びちょびちょに濡《ぬ》れたゴンタの毛の奥《おく》の体温が伝わってくる。

「ゴンタ、ありがとう。ありがとう」

舞はゴンタの大きな頭に顔を寄せる。

「森さん！　ご無事ですか⁉」

ハンターのようなかっこうをした滝《たき》乃《の》川《がわ》さんが走ってきた。

「は、はい。……ごめんなさい」

「転びましたか？」

「はい。すべり落ちて、木に当たって止まりました」

「どこか痛いところは？」

「あちこち痛いですけど、骨が折れたりはしていないと思います」

うなずいた滝乃川さんは、背負っていたリュックから毛布を引っぱりだして、舞の背中にかけてくれた。毛布にくるまってほっとしていると、滝乃川さんが、見たことのないレトロな携《けい》帯《たい》電話を手にした。太いアンテナがついている。

「署長さん、『森の家』の滝乃川です。はい。少女は無事保護しましたので、捜《そう》索《さく》願《ねが》いは取り下げます。まだ出発なさってませんでしたか。ああ、良かった。本当に申し訳ございません。はい、のちほどまた。はい、ありがとうございます」

やっぱり捜索願いを出されていたか。

舞は毛布の中で震《ふる》えながら、うなだれた。

滝乃川《たきのがわ》さんは続けて鈴木《すずき》先生にも電話をかけて、舞《まい》を保護した旨《むね》を伝えると、電話を切った。

「あの……すみませんでした、わたし……」

どう説明すればいいのだろう。

ちがう、今はいい訳なんて、意味がない。

「歩けますか？　おんぶをしてさしあげたいところですが、この足場で、しかもわたしの年齢《ねんれい》だと、無理かもしれません」

「だいじょうぶです。ひとりで歩けます」

「足場のいい所を選んで歩きますから、すぐ後ろについてきてください」

「はい」

「今朝、すぐにおかあさまに電話したんですが、お出になられず」

「あ……母は夜が遅《おそ》いこともあるので、多分寝《ね》ていたんだと思います」

いつも物静かな執事《しつじ》ふうの滝乃川さんが、今はガシガシと草を踏《ふ》みつぶして前に進む、救助隊のチーフのように見えた。そして、ときどき振《ふ》りむいてくれる。

「なるほど。それでわたしとゴンタが車で捜《さが》しに出たのです。てっきり林道を行ったと思っていたのですが、ふもとまで下りてもいらっしゃらないし、バス会社も駅でも、バックパックを背負った少女の姿は見ていないとのことで、途方《とほう》にくれましたよ。それで、村の交番で捜索願《そうさくねが》いを出している最中にですね」

「スミマセン……ほんとに……」

「おかあさまがメッセージを読んでお電話してくださったんです。あなたのことだから、林道ではなく、森の中の道なき道を行っただろうとおっしゃられて」

やはり娘《むすめ》のことはよくわかっているなと、舞は苦笑した。

「とても恐縮《きょうしゅく》されていました。すぐにこちらに向かうとおっしゃったので、まず森を捜すので少しお待ちくださいと申しました。それから、捜索隊のほうからはこうアドバイスされましてね、朝だから危険度は少なく、見つかるかもしれない。もう少し待って、見つからなかったら捜索隊を出動させると。それであわてて引き返してきたんですよ。もしあなたが森の中に入るとしたら、小径《こみち》のあるあの辺だろうと見当をつけて、車を停《と》めてゴンタを放したら、途中《とちゅう》からすごい勢いで走りだしましてね」

「助かりました……」

「最初から森を捜していればよかったんですが、都会育ちのあなたが、まさか森の中を行く勇気がおありとは思えず、失敗しましたよ。この敷地《しきち》には熊《くま》はいませんし、ひどい崖《がけ》などもありませんから、そういう心配はしていませんでしたが、ふもとの村で早朝から誘拐《ゆうかい》されたかと思いまして」

なんだ熊《くま》はウソなのか、と舞《まい》はホッとしながらも、「誘拐」という響《ひび》きに焦《あせ》った。

「……すみません」

林道にたどりついた。方角はまちがっていなかった。

舞が入った小径《こみち》の入り口とはちがうが、あと少しで林道だったのだ。

「とりあえずおかあさまにご連絡《れんらく》なさい。舞さんを無事保護した旨《むね》の連絡は鈴木《すずき》先生からしてもらいましたが、あなたのお声をお聴《き》きになりたいはずですよ。どうぞこれをお使いください。もっと上のほうに車を停《と》めたので、取りに行ってまいります。ここでゴンタとお待ちください」

滝乃川《たきのがわ》さんに携帯《けいたい》電話を渡《わた》され、舞は素直《すなお》にうなずいた。

雨はいつのまにか降りやんでいた。ゴンタと砂利道《じゃりみち》に座って待つ。安心したら、疲労感《ひろうかん》がどっと押《お》しよせてきた。

母の携帯番号にかけると、ワンコールですぐに出た。

「もしもし、滝乃川さん？　ご迷惑《めいわく》をおかけして申し訳ございませんでした。もしそこに娘《むすめ》がおりましたら……」

「わたし、舞……」

「舞！　ケガは？」

「ない。ちょっと転んだけどだいじょうぶ」

「そう、良かった。わたしがすぐに電話に気がつかなかったから、かえってご心配をおかけしちゃった。これからそっちに行くために準備していたのよ。電車とバスを乗りついで、夕方には着けると思う」

「いいよ、来なくて」

「迎《むか》えに行かなくていいの？」

なんと答えようか、一瞬《いっしゅん》迷った。

帰りたい。でも、今この状態で帰るのは、完全に負け犬だ。

デトックスに失敗し、逃亡《とうぼう》にも失敗し、しかもハハにお迎えに来てもらうなんて、カッコ悪いったらありゃしない。

「……うん、いい。自然と対決して……少し学んだ。もう少しがんばってみる」

「本当に？　ムリならいいのよ。それにしても、逃亡するなんて……。ほんとうに無茶をするわねえ」

「……」

「まあ、いいわ。もう起きちゃったことだし。ウソついてごめんね。ちょっと一方的すぎたかもしれない」

「いいよ。本当に。もう逃《に》げないから」

「わかった。じゃあ、鈴木《すずき》先生にもう一度あやまっておくわ。いい子にして、みなさんにこれ以上ご迷惑《めいわく》をかけないように」

「うん」

「がんばって」

「うん。バイバイ」

舞《まい》は電話を切ると、横に座ったゴンタに抱《だ》きついた。そしてゴンタの頭に、そっとキスをした。

「本当にありがとう。ゴンタ、わたし、大バカだったね」

ゴンタは、舞をあわれむような目つきで見てから、頬《ほほ》をペロッとなめてきた。

すぐに滝乃川《たきのがわ》さんが四輪駆動車《くどうしゃ》で迎《むか》えに来てくれて、ゴンタといっしょに後部座席に乗った。

座席は舞の服とゴンタの足の泥《どろ》で、ドロドロになってしまった。

滝乃川さんに「母に電話しました。ありがとうございました」といいながら携帯《けいたい》電話を返したとき、ふと疑問がわいた。

「あのー、ここ圏外《けんがい》じゃ……」

「これは衛星電話ですよ」

なるほど。その手があったのか。

「森さん。今度逃亡《とうぼう》なさるなら、いざというときのために、こういう衛星電話か、圏外でも居場所を突《つ》きとめられるGPSトラッカーをお持ちのうえ、おやりになってください。当方はトラッカーをいくつか持っておりますのでね。あと水と食料もお忘れなく。まあ、森で白骨死体になりたいのであればべつですけどね」

舞は目を大きくむいたが、滝乃川さんが少しだけ振《ふ》りむいてニマッと笑ったのを見て、吹《ふ》きだした。血も涙《なみだ》もない人造人間みたいな人かと思っていたが、どうやら、ちがったらしい。

森の家が見えてきた。車だとえらく近い。

「村までって、本当に徒歩で丸一日かかるんですか?」

「いいえ。林道をまっすぐ下っていれば、アスファルトの道路の分岐点《ぶんきてん》まで、のんびり歩いても四時間かからずに行けたはずですよ。そこから駅までは、バスで三十分です。とはいっても一時間に一本ですけどね」

イトワン&ツーのいっていた「丸一日」というのはウソだったのか。熊《くま》がいるというのもウソだった。こんなに近いところで転落して、あやうく死ぬかもしれなかったわけだ。

自分にあきれた舞《まい》は、苦笑いをした。


駐車場《ちゅうしゃじょう》に、鈴木《すずき》先生やみんなが並んで立っていた。

舞はみんなの顔を直視できない。

車から降りると、鈴木先生が駆《か》けつけてきた。ひっぱたかれるのを覚悟《かくご》して目をぎゅっとつぶっていると、がしっとハグされた。大きいイメージがあったが、間近だと意外と小さくて、ほんわりと温かい。鈴木先生の白い髪《かみ》が、舞のあごをくすぐった。

「てっきり熊に食べられたかと思いましたよ」

体を離《はな》して、両手で舞をがっしりつかみながら、鈴木先生が笑った。

「えっ。この辺には熊はいないって、滝乃川《たきのがわ》さんが」

「さあ、どうでしょうね。近くの山に出たことはありますからねえ。ともかく、お説教はあとでたっぷりします。まずは手当と食事。なにも食べていないのでしょう？」

うなずいてから、後ろにいるみんなにちらっと目をやった。

泣きはらしたのだろう。鏡花《きょうか》ちゃんの目と鼻は真っ赤になっている。

「舞ちゃん、死んじゃったかと思った……」

「てめーマジ、根性《こんじょう》あるぜ」

「だよな。オレ薄暗《うすぐら》い森の中をひとりで歩く勇気ねーし」

「モリブー、なにもいわないで出ていくなんて、ひどいよお」

舞はみんなに向かって、深々《ふかぶか》と頭を下げた。

「ご心配をおかけしました。観念して、ここでおとなしくお世話になることにしたので、どうぞよろしく」

「おまえ顔ドロドロだぞ」

「服もボロボロじゃん、女ターザンかよ」

ぎゃはは。

舞も笑った。ほっとしたら、急にお腹《なか》が空《す》いてきて、死にそうだ。

そう思った瞬間《しゅんかん》、またおかしくなって笑った。

本当に死にそうなときって、めっちゃ生きたいもんだな。

温かいシャワーを浴びると、お湯が引っかき傷にしみて痛かったが、すっかり温まった。それから昔は看護師だった鈴木《すずき》先生に診《み》てもらった。病院に行くほどではないとはいえ、けっこうな数の傷と打撲《だぼく》をしていた。

手当をしてくれている間、鈴木先生はさかんに「まあ、ほんとに引っかき傷だらけね」をくりかえした。

「幸い、顔や目にはほとんど傷がないから良かったですけどね。ちゃんと目を守ったらしいわね。それだけはえらかったわ」

「はい。本能的にそうしたみたいで……」

「でも、落ちたときに打ち所が悪かったら、そのまま死んでしまったかもしれないんですよ！」

それは自分でもわかっていたから、おとなしく頭を垂れていた。

「はい」

「あなたが格闘《かくとう》して勝てる相手じゃないのよ、自然というのは」

「……はい」

「格闘するんじゃなくて、共生するの。自然を敬い、自然から学び、めぐみを頂くの。わかるかしら？」

「はい」

「まあいいわ、今日はお説教はこれでおしまいです。寒くて心細かったでしょう。消化にいいものを作ってもらっているから、たくさん食べて、お昼寝《ひるね》しなさい。少し熱もあるようだから。声もガラガラね、喉《のど》が痛いかしら？」

「はい、痛いです。スミマセン」

「素直《すなお》すぎて気味が悪いですね」

そういって鈴木先生は笑った。

シェフは刻みねぎの入った卵がゆを作ってくれた。味は薄《うす》いのに、おいしすぎて、うれしすぎて、食べていたら、目頭《めがしら》が熱くなってきた。

森の中で死ぬかもしれないと思っても泣かなかったのに、今ごろ涙《なみだ》が出てきた。人前で泣くのは初めてだった。悲しいのでも悔《くや》しいのでもなく、単純《たんじゅん》に食べ物がおいしくて、ほっとしたのだ。鏡花《きょうか》ちゃんとのえみが、背中をさすってくれた。

気がつくと、ベッドの上にいた。頭には氷の入った袋《ふくろ》がのっていた。コンビニに売っているおでこに貼《は》る式のではなく、袋に氷水を入れる昔式の氷のうだ。

すぐ横に鏡花《きょうか》ちゃんがいた。スツールに腰《こし》かけて本を読んでいた鏡花ちゃんが、視線を上げた。

「舞《まい》ちゃん、気分はどう？　さっきは熱が三十八度あったけど」

「あ、ごめん」

ひどいしゃがれ声だった。

「しゃべらなくていいのよ。無事だったんだからいいの。心配したけど、舞ちゃんらしくて、感心もした。やっぱり勇敢《ゆうかん》ねえ」

ううん。そんなことない。ホントにビビッて、なにもできなくて……といいたかったが、喉《のど》がカラカラで声が出てこない。

「熱は下がってきたみたいね。ほら」

鏡花ちゃんが舞のこめかみにピッと当てた体温計によると、三十七度だった。

むっくり起き上がろうとすると、鏡花ちゃんに制止された。

「まだ寝《ね》ていたほうがいいと思うの。夕食は持ってきてあげるから」

「うん。でも喉が……」

氷のうを横に置いて、枕《まくら》を立てて寄りかかる。「いたっ」と思わず声が出るほど背中が痛い。腕《うで》も脚《あし》も首も痛い。

「痛い？　だいじょうぶ？」

「うん」

水の入った大きなグラスに手を伸《の》ばそうとすると、いち早く鏡花ちゃんが取ってくれた。それを一気に飲みほすと、舞は「はあ」と息をついた。

「おいしい」

「え？」

「水がおいしい。ほら、声も出た」

鏡花ちゃんはクスクス笑った。

「舞ちゃんの好きな炭酸飲料より？」

「うん、今は炭酸いらない。水がいい。あれ、外、もうかなり暗いね。何時？」

「五時四十五分」

「わたし半日も寝てたんだ？」

「ええ、食堂でおかゆを食べたあと、そのままテーブルに倒《たお》れこむように寝ちゃって。熱もあったから、滝乃川《たきのがわ》さんがここに運ぼうとしてくれたけど、あの人細身だから背の高い舞《まい》ちゃんのことを持ち上げられなくて。そしたら加瀬沼《かせぬま》くんが」

「えっ？」

「ふふ、そうよ。加瀬沼くんが軽々《かるがる》と舞ちゃんをおんぶして、スタスタと階段を上ったわよ」

「うわ、恥《は》ずかしい」

「役に立ててうれしいっていってたわよ」

「そっか……」

「もうすぐ夕食だけど、食欲ある？」

「ある。あるある」

「ふふふ、じゃ、だいじょうぶね」

「鏡花《きょうか》ちゃん……」

小さくため息をついてから、舞はいとこの目を見た。

「ごめん、心配かけて」

「ううん。わたしこそ、ごめんね。だまして連れてきて」

首を左右に小さく振《ふ》りながら、いっそのこと、さまざまな想《おも》いをこの際、白状してしまおうかと思った。でも、うまくいえる自信がなかった。

「ねえ、舞ちゃん、本当にここに残るの？　だいじょうぶ？」

「うん。わたし森と闘《たたか》ってみてさ……いろいろわかったよ。自分がまるでガキだってこと。ひとりじゃなんにもできない。だから、いさぎよく負けを認める」

あははははは。

鏡花ちゃんが朗《ほが》らかに笑った。スウィートピーが咲《さ》きみだれるような華《はな》やかな笑顔《えがお》を見て、舞は思った。

やっぱり鏡花ちゃんの笑顔は、人を幸せにする。

「あー、起きたのーっ？」

ドタドタと足音を立てて、のえみが部屋に入ってきた。舞のベッドに駆《か》けよると、ぎゅーっとハグをしてきた。ちょっと痛いが、がまんした。

「ねえねえ、さっきはモリブがぐったりしてたから話せなかったけど、今朝どんなだったか、報告しまーす。聞きたいでしょ？」

「あ、うん、聞きたい」

「朝七時すぎに大騒《おおさわ》ぎになってさ。トイレとかバスルームとか、裏庭とか、庭の大木の上とか、あっちこっちみんなで捜《さが》したけどモリブいなくて、鶏小屋《とりごや》や農園まで見に行ったけどやっぱりいなくて。鈴木《すずき》先生がすぐにネットマガジンに電話したんだよ。あのカメラ二十四時間ノンストップで回ってて、交代で録画をコントロールしながら、編集するんだって。で、画像をチェックしてもらったんだよ」

「そっか、それで何時に出発したかバレたんだね」

「そう。五時半過ぎとその五分後くらいに、だれかが薄暗《うすぐら》いホールを横切る姿が映ってたって。顔はよく見えなかったらしいけど、モリブだ！　ってことになってさ。鈴木先生が滝乃川《たきのがわ》さんと話してるの、聞いちゃった！」

「カメラのこと、すっかり忘れてた……」

「あたしらの間ではね、イトワン&ツーの熊《くま》に襲《おそ》われた説と、純《じゅん》くんの誘拐《ゆうかい》された説と、鏡花《きょうか》ちゃんの森でケガした説と、あたしの説があったんだよ！」

「のえみの説って？」

「たぶんスマホの電源が切れてて誰《だれ》にも連絡《れんらく》できないだけでさ、モリブは森で舞《ま》うっていう名前なんだから、無事にヒラヒラと山を下りて、バスで駅に行って、駅員さんが見ていないすきに電車に乗って、ちゃっかり東京に向かってるぜベイビー説」

舞《まい》は吹《ふ》きだした。

「……いやさ、世の中そんなに甘《あま》くなかったよ。自分の力を過信していたんだ。でも、成功しないで良かったかもしれない」

「えー、そうなの？　だって帰りたかったんでしょ？」

「うん。でもね……やっぱり、まだ早いって思った」

「だよね。せっかくあたしともお友だちになったんだし！」

のえみはゲラゲラ笑った。

「うん……そうだね」

もう一度ぎゅっとハグされて照れていると、カランカランと例の鐘《かね》の音がした。

「わーい、ご飯だー。さっき滝乃川さんがモリブには持ってきてくれるっていってたよ」

「いや、いい、食べに行くよ」

「無理しないほうがいいのに。背中とか脚《あし》とか、あざだらけなのよ？」

鏡花ちゃんに心配されたが、みんなにきちんとあやまりたかった。それに、部屋でひとりで食べるのは、東京だけでいい。しかもここには、お供をしてくれるスマホもテレビもない。

「今さら死なないよ。みんなと食べたい」

「そう、わかった」

立ち上がると、全身の痛みで顔をゆがめた。

「ほらね、やっぱり無理じゃない？」

「だいじょうぶ。ちょっと階段だけ手伝ってもらうかもしれないけど」

「あ、そうだ、加瀬沼《かせぬま》くん呼ぼうか？」

「やだ、いいよ。またおんぶなんて、恥《は》ずかしい」

「じゃ、お姫様《ひめさま》だっこはー？」

「バーカ、のえみ、相手がちがうってば」

「そりゃそーだ！」

あはははは。三人の笑い声が響《ひび》く。

なんだろう、このシアワセ感は。

孤独《こどく》と恐怖《きょうふ》に震《ふる》えた数時間前とギャップがありすぎて、今の舞《まい》には、この平和な瞬間《しゅんかん》が信じられない。

9　ナメクジ＋サラダ

舞はその夜、悪夢にうなされた。斜面《しゃめん》から転がり落ちて大きな木にぶつかって危《あや》うく止まったときのシーンだが、夢の中では止まらずにどんどん転がり、そのまま深い谷に落ちていく。落下している最中に目が覚めた。

翌日の夜中には、大声で叫《さけ》んで目が覚めた。のえみは熟睡《じゅくすい》していたが、鏡花《きょうか》ちゃんは飛び起きた。そのとき舞は、熊《くま》に襲《おそ》われて、頭から食べられる夢を見ていたのだ。夢の中の熊は、巨大《きょだい》だった。

三日目の夜には、樹海のようなあの場所からいつまでたっても出られず、ゴンタも捜《さが》しに来てくれないまま、力尽《つ》きて倒《たお》れる。が、なかなか意識はなくならない。むしろ体は動かないのに、頭はどんどん冴《さ》えていく。空腹と疲労《ひろう》でゆっくりと生気を失っていき、やがて自分が白骨死体になっていくのを、上から観察しているのだった。

焦《あせ》りや恐怖はあまりに現実味を帯びていて、朝起きると汗《あせ》びっしょりになっていた。

舞《まい》は外の散歩やスポーツには参加せず、食べては庭でゴンタと少し遊び、ソファで本を読む、という毎日をくりかえした。打撲《だぼく》のあざがどんどん色濃《いろこ》くなっていったのとは裏腹に、痛みは減り、確実に回復していった。

団らん室の本棚《ほんだな》にあった本はいずれも大人向けのむずかしそうな本だと思っていたが、端《はし》の棚には児童書やYAもあった。この二年ほど、学校で読まされた課題図書以外は本を読んでいなかったから、知らないYAやSFやファンタジーがこんなにあるとは、思いもよらなかった。

そういえば、昔はあれほど通っていた図書館や書店にもまったく足を踏《ふ》みいれなくなっていた。みんなが外でレクリエーションをしている間、暇《ひま》だからなんとなく本を手に取ったのだが、おもしろくてやめられなくなった。おかげで、スマホがなくてもさびしくなかった。

スマホは、電源を切ればそれまでだ。世界と縁《えん》がプツリと切れる。そして電源の入らないスマホは、ただの箱だ。

でも、本はちがう。閉じたとたんに、別世界が始まる。想像が想像を呼び、物語がどんどんふくらんでいく。

寝《ね》る前には悪夢を見ないように、楽しい物語を読んだ。すると、逃亡《とうぼう》の悪夢から解放され、読んだ物語が夢の中で映画になった。

数日後には、あざこそ残れど、すっかり元気になった。そして、みんなといっしょにレクリエーションに参加することにした。

朝食後、みんながジャージに着替《きが》えて庭で鈴木《すずき》先生を待っている間、舞は毎日の習慣になっているように、ゴンタをハグしに行った。

「ゴンタ、すっかり舞になついちゃったねー」

のえみがいつのまにか横に来ていた。

「うん。あれ以来、ゴンタが神に見える」

「あはは、神っていうより、モリブの相棒に見えるよ」

「相棒。いい響《ひび》きだな」

ふと、ゴンタの写真が欲しいと思った。

スマホがあれば撮《と》れるのに。

舞は今こそスマホが恋《こい》しいと思った。

ゴンタを撮りたい。たくさん撮りたい。ゴンタや、みんなといっしょの写真も撮りたい。べつにSNSにアップロードしたいわけじゃない。クレーム・シャンティイじゃなくてもいい。今の自分でいい。自分が見るだけの写真が欲しい。

ジャージ姿の鈴木《すずき》先生が手をパンパン、とたたいた。

「さあ、みなさん、収穫《しゅうかく》しに行きましょう！　こちらです」

「しゅーかく……？」

舞《まい》とのえみは同時にいったが、先生はかまわずスタスタ歩いて行く。

「あー、めんどくさいなあ。土いじりとか苦手なのにい」

だるそうなのえみに、舞もうなずいた。虫とか土は、舞も嫌《きら》いだが、森の中であのとき、思った。食べられる森の幸《さち》ぐらいは、見極《みきわ》めたい。

「すみません、それって、畑からの収穫ですか？」

鈴木先生は振《ふ》りむき、うなずいた。

「ええ。うちの小さな畑です。自分たちの食べるものを育てて、収穫して、新鮮《しんせん》なうちにいただく。こんなすばらしい体験をできるんですよ。なんの収穫だと？」

「あーいや、その……森で食べられるものとか見分けられたらと思って……」

小さな声でつぶやいたつもりだったが、先生にはしっかり聞こえていた。

「なるほど。それはいいアイディアですね。今度、それやりましょう」

もっと早くやって欲しかったな。初日とかに。

ついそう思ってしまったが、たとえ食用キノコを見分けて数日生きのびたとしても、あのとき下山しなくて正解だったと、今の舞は思う。

もしあのとき、警備隊だか捜索隊《そうさくたい》だかが出動していたら、大騒《おおさわ》ぎになっていたにちがいないのだから。恥《は》ずかしくて、誰《だれ》にも顔を合わせられなかったはずだ。母はその高額な費用を払《はら》わされただろうけど、多分そんな貯蓄《ちょちく》はない。一体どうしただろう。おばさんにでも借りただろうか。

もしそんなことになっていたら、一生忘れられない自分の負い目となってしまっただろう。

今さらながらに背すじが寒くなる。浅はかだった。

それでも――と舞は考える。

なにかの事故で遭難《そうなん》することもあるかもしれない。山の怖《こわ》さを知った今、いざというときのために、もう少し山の事、森の事を知っておきたいという欲求がふつふつと湧《わ》いてきているのだ。自然に闘《たたか》いを挑《いど》むのではなくて、鈴木先生流にいえば、共生するために。

「すっげ、うれしー」

小走りのイトワンが、舞を追いこしながら叫《さけ》んだ。その後ろを、ポケットに両手を突《つ》っこんだままのイトツーが走っていく。

「あいつら、ほんっと前向き」

「ほーんと、おめでたいよねえ」

踊《おど》るように歩くイトワンの背中を見ながらのえみとそんなことをいっていると、イトワンが振《ふ》りむいてニマーッと笑った。

「おうよ。だってオレ、農業やりてーのよ。憧《あこが》れてんのよ。けど、オレんちのまわりはちっせえ工場ばっかで、畑とかねーのよ。だから、マジうれしーわ」

「え、農業に憧れてるって……なんで？」

「だってさー、食いっぱぐれねーだろー」

そこかよ、と半ば感心していると、ツーがすかさず口をはさむ。

「オレは狩猟《しゅりょう》のほうがいい。種まきして水かけてじっと待つなんて、好きじゃねーよ」

「ほう、なるほど。そもそも日本の一次産業は……」

後ろでいきなり社会の授業みたいなことをいいはじめた純《じゅん》くんを、のえみがさえぎる。

「あー、あたしは食べるの専門がいーな」

あははは。みんなが笑う。

舞《まい》のすぐ後ろで、鏡花《きょうか》ちゃんと純くんが並んで歩きながら意気投合している。

「……そうそう、日本は自給自足率、低いものね」

「うん。ぼくはもう少し農業や漁業に力を入れたほうがいいと思うんだ。万が一戦争とか非常事態で輸入が無理になったら、食料が足りなくて困るでしょう？」

「あ、それはそうね。考えたことなかったな」

うっかりつんのめりそうになって舞が自分の足もとを見ると、スニーカーのひもがゆるんでいた。列から少しずれて、ひもを結び直す。

列にもどろうとして、一番後ろの大きな少年に目がいった。だいぶ遅《おく》れてとぼとぼ歩いている後ろ姿を見ると、なんだか去年の自分のようだ。

おんぶをしてもらったことにお礼をいおうと思っていたのだが、みんなといっしょのときだといいづらくて、タイミングがつかめないままだった。

歩調を速めて、少年の横に並ぶ。

「あー、ね、加瀬沼《かせぬま》くん。おんぶしてくれてありがとう……」

お礼をいうことに、意外に抵抗感《ていこうかん》がなかった。相手が「熊《くま》のプーさん」だからかもしれない。

「あ、べつに」

と、ぼそぼそ返事をする少年は、視線を上げない。

「ね、プーさんって呼んだらいやかな？」

「えっ？」

初めて少年が視線を上げて、舞《まい》を見た。それからあわてて目をそらした。

「プーさん。『熊《くま》のプーさん』になんとなく似てるから」

「あ、ああ、そのプーさん……べつにいいですよ」

「ほかにプーさんっていたっけ？」

「い、いや」

「じゃ、決定ね」

前方からのえみが走ってきた。

「モリブ！　いつのまにか、いないんだもん！」

「ごめん、スニーカーのひもがほどけたから。あ、この人プーさんって呼ばれてもいいってさ」

「へえ！　ほんと熊のプーさんにそっくりだよねえ。ちょっとでかいけどさあ」

「だよね」

「あっ、でも」

と、プーさんがつぶやくようにいう。

「ぼくはそんなかわいいものじゃ……いつもは、もっと変なものにたとえられて……」

「どういうモノ？」

「あ、そ、それは」

「じゃ、いいじゃん。ここではプーさん。いやならやめるけど！」

プーさんは首をぶるぶるっと左右に振《ふ》ると、ほんの少し口もとをほころばせた。


畑が広がっていた。奥《おく》には温室もあるし、大きな鶏小屋《とりごや》もある。

「はい、ここがトマトのゾーンです。男子四人はここで熟《う》れたサン・マルツァーノトマトをひとり十個ずつ、ほら見てください、このようにそっと回しながら収穫《しゅうかく》し、このバケツに入れてください。あと、そっちのプチトマトも二十個ほど、収穫してください。女子三人は向こうでサニーレタスとハーブの収穫です」

鈴木《すずき》先生に案内されて、レタスのゾーンに行く。先生が虫よけネットをはずすと、舞は土からサニーレタスを引きぬこうと躍起《やっき》になった。

「森さん、ちょっと待ってください、そんなことしたってダメですよ。無理にやれば葉がぐじゃぐじゃになります。はい、この収穫《しゅうかく》包丁というのを使いましょう」

「ああ、どうりで根性《こんじょう》のあるレタスだと思った」

横で鏡花《きょうか》ちゃんとのえみがゲラゲラ笑った。

鈴木《すずき》先生は包丁を舞《まい》たち三人に渡《わた》した。

「こわっ」

のえみが包丁をおっかなびっくり握《にぎ》っている。

「えっ、料理したことないの？」

「うん、ない。モリブと鏡花ちゃんは？」

「わたしはあるわよ。お料理好きだし」

さすが鏡花ちゃんだと感心してると、

「そうですか。モリブさんは？」と聞かれて、舞は思わず鈴木先生を見つめた。

「あら、ごめんなさい。森さんは、というつもりで、つい」

舞は苦笑いしながらうなずいた。

「べつにいいですよ。もう『モリブ』ですっかり定着してますから。包丁は、まあスイカを切ったり、たくあんを切ったりっていう程度ですけど」

「そうですか。じゃあだいじょうぶですね。ではサンダーさんよく見て。収穫包丁はこう持ちます。そして、こう。そんなに力を入れなくても、だいじょうぶ。利《き》き手じゃないほうでレタスを押《お》さえ、地面とすれすれのこの辺にこう包丁を当てて、ザクッと」

三人は並んでそれぞれのサニーレタスを収穫する。

「わーい、できた。ちょっと感動！」

のえみはおおげさだなと思いつつ、舞も自分で収穫したものを食べるのは初めてで、自分の手にあるこのレタスがどんな味なのか、気になっている。ただ、土とつながっているレタスをこうざっくり切ると、首を切りおとしているみたいで、なんとなく罪悪感を感じてしまう。

「とりたてのほうが断然おいしいので、今日は三つで十分です。はい、次はネギとハーブ」

舞たちのバケツにはサニーレタス三つ、バジリコ、イタリアンパセリ、青じそ、細ネギ数本が次々《つぎつぎ》と入れられていく。

「ぎゃあああ！」

バケツは舞が持っていたのだが、ふと、サニーレタスから小さなナメクジが這《は》いだしているのを見て、大声を上げてしまった。

鈴木先生は振《ふ》りむいて、手でナメクジを取ると、ぽいっと捨てた。

「まあ、無農薬ですから、こういうこともあります。スースー寝《ね》ていたナメクジが、起こされてあわてて出てきたのでしょう。さあ、もどりますよ」

絶対このサニーレタスは食べない、と舞《まい》は心に誓《ちか》った。

この、ちょっと色の濃《こ》いレタスね。色をちゃんと覚えておこう。


それから、キッチンで体験料理会になった。みんなで収穫《しゅうかく》したトマトやバジリコでトマトソースを作り、タリアテッレというきしめんっぽい生パスタを打ち、サニーレタスとイタリアンパセリとプチトマトとチーズのサラダを作った。

盛りつけもかわいらしくできたとき、舞はやっぱりスマホが欲しいと思った。

写真を撮《と》ってアップロードできるのに。

『生まれて初めて収穫した食材で、お料理タイム！　初めて作った手うちパスタ、ちょっとデコボコだけど、最高！』

なんて感じかな。

自分たちで打った不ぞろいのパスタに、ただシンプルなトマトソースをかけただけなのに、その味があまりにおいしくて、舞はもちろん、全員がおかわりをした。

「森さん、今日はおいしそうに食べますね」

鈴木《すずき》先生にそういわれて、二皿目を平らげつつある舞は、喉《のど》が詰《つ》まりそうになった。あわてて水を飲んで、うなずく。

「今日はいつもより味が濃くて、すっごくおいしかったです」

のえみもパスタを口に含《ふく》みながら、うんうんうなずいた。

「あら、いつもと塩加減は同じですよ、トマトも同じだし」

「え、そうですか？　じゃ、なんでだろう……？」

首をかしげていると、イトワンがポンポン、と自分の胸をたたいた。

「そらー、オレたちが収穫したからだろーよ」

「そっか……」

たしかにそうかもしれない。自分で収穫した目の前のサラダ菜は、つやつやで、香《かお》りもいい。

なんだか、誇《ほこ》らしい気持ちになる。レモン&オイルのサラダにもすっかり慣れてしまったため、なんの抵抗《ていこう》もなくパリパリとサラダ菜をかみながら、はっと思い出した。

あのナメクジの葉は……。

ま、ちゃんと洗ったから、いっか！

以前なら、どんなに洗っても、ナメクジがいた葉なんて、絶対に食べなかっただろう。自分の変わりように、びっくりしてしまう。

「モリブ！　なにニヤニヤしてやがる？」

指摘《してき》された舞《まい》は、イトワンをちょっとからかってやろうと思った。

「いやさ、あんたが今食べてるその葉っぱ、さっきナメクジが這《は》ってたんだよねー」

イトワンは目をむきだしにして、サラダ菜をかむのをやめた。

「う、うそつけ！」

手を口の前に持っていくイトワンを見て、舞は今にも吹《ふ》きだしそうなのをやっと抑《おさ》えていう。

「あれ、農業やりたいとかいっといて、ナメクジごときにビビってんのか！」

「ち、ちげーよ。くそっ」

イトワンはサラダ菜をゴクリと飲みこみ、舞をにらみつけた。

「アニキ、ジタバタすんな。死にゃあしねえよ。肉みたいなもんだろ」

「ざけんな。ナメクジの刺身《さしみ》なんて、食いたかねーよ」

真剣《しんけん》にいやがっているイトワンを横目に、みんなはゲラゲラ笑い、いつもは無表情な滝乃川《たきのがわ》さんまでほほえんだ。

10　それぞれのこと

その日の夜、鈴木《すずき》先生が団らん室で皆《みな》を見まわしてこういった。

「今日はゲームではなく、おしゃべりをしましょう。たがいに、学校のお友だちにはいいにくい悩《なや》みもあるでしょう。そんなことを話し、聞く、いい機会です。話したくない人は話さなくてもかまいません。大人がいるとやりにくいでしょうから、わたしたちは大広間にいます。なにかあったらいつでも呼んでください」

鈴木先生と、温かいローズヒップティーを配ってくれた滝乃川さんが部屋を出ていき、ドアがバタン、と閉まった。

数秒の沈黙《ちんもく》のあと、イトワンが両手を頭の後ろで組みながら口火を切った。

「まーそんなこといわれてもよ、いきなり悩み相談室みたいのできるかよっての」

「だよな。だいたいオレたちみたいな貧乏人《びんぼうにん》の悩み、こいつらにわかるわけねーよ」

兄弟が不機嫌《ふきげん》そうにいった。

そのあと、しばらくシーンとしていた。

「たしかに……」と、口を開いたのは、純《じゅん》くんだ。

「家庭の事情がちがうから、たがいの悩《なや》みをわかりあえないかもしれないけど」

それを聞いて、イトワンが身を乗りだした。

「はあ？　たがいの悩みだって？　純、おまえに悩みなんかあるわけねーだろ！」

「どうしてそんなことがいえるのかな。ぼくのことをなにも知らないだろう？」

「知らねーよ。けど立石《たていし》製薬の跡取《あとと》り息子《むすこ》なんだろ？　それ以上知るべきことはなんもねーよ」

沈黙《ちんもく》。

「……ねえ、伊藤《いとう》くん、それはちがうんじゃないかな。純くんには純くんの、悩みがあるんじゃないかと思うの。どっちの悩みが上とか下とかじゃなくて」

鏡花《きょうか》ちゃんが発言した。こういうときはいつも黙《だま》っているタイプの人なのに、めずらしい。

「純と同じ人種にいわれたくねーよ」

イトワンは思いっきりきつい目つきで、純くんと鏡花ちゃんをにらんでいる。

「おまえらさー、オレたちの悩みがどんなもんか、わかるかよ？」

「……」

「わからないかも」

「すげー単純なことだ。腹いっぱい食いてえ。それだけだ。なあ、信二《しんじ》？」

兄に肩《かた》をたたかれた弟が、腕《うで》を組んだままうなずく。

「まあ、ほかにもあるけど、それが一番マジな悩みだな」

「そんな悩みあんのかよ、おまえら？　すげー深刻な問題だぞ」

だれも口を開けない。そんな根本的なことをいわれたら、他の悩みなんて、みんな話せなくなってしまう。

「おまえさ、モリブ」

急にイトワンに話を振《ふ》られて、舞《まい》はドキッとした。

「山で遭難《そうなん》して、なに考えたよ？　腹減ってたんだろ？」

舞はうなずいた。

「……うん。あと、方向がわからないし、寒くて、痛くて、不安だった」

「もし食料さえたっぷりあったら、とりあえず、すぐには死にゃーしねえって、安心できたんじゃねーの？」

うなずくしかなかった。それは事実だ。

「ほら見ろ。一番へビーな悩《なや》みってのは、メシだメシ！　わかったか、おまえら？」

イトワンは、ドヤ顔で純《じゅん》くんや鏡花《きょうか》ちゃんを見る。

「確かに、きみの話には一理ある」

純くんが静かな声でいった。

「一理じゃねーよ。それ以外の悩みなんて、どーにでもなる、ちゃらい悩みだ」

「そうだろうか。人間て、そんなに単純なものかな」

「カッコつけてんじゃねーよ、純。人間てのはシンプルなんだよ。腹いっぱいメシ食えて、病気しないで、寝《ね》るところがあったら、なんの文句があんの？　わけわかんねえ。ただのワガママじゃんか」

「アニキ、食って寝るだけじゃねーぞ。ここみてーな山ん中ならいいけどよ、街じゃ便所もねーと。マジな話」

みんながいっせいにイトツーを見た。

「あ、そうだな、信二《しんじ》。いいところに気がついた。ま、おまえらには理解できねーだろうけどさ、オレら、前のアパートは共同トイレだったんだ。これがすげー大変でよ。オシッコやウンコしたいときにできねえってのは、辛《つら》いもんだぞ。みんな同じ時間帯に行きたがるから、毎朝毎晩、便所渋滞《じゅうたい》だ」

深刻な話のはずなのに、みんなが吹《ふ》きだした。

「おい、笑ってんじゃねーぞ」

といいながらも、イトワンもつられて笑う。

「去年、オレと信二は、おっちゃんちに引っ越《こ》したんだよ。ま、一階がおっちゃんの作業場で朝から晩までガーガーうるせーし、粉飛んでくるし、古いプレハブの二階だから、夏暑いわ冬寒いわ、ひでー環境《かんきょう》だ。でもな、一応トイレとシャワーはあんのよ。オレらにとっちゃ、極上《ごくじょう》生活よ。おまえらにはわかんねーだろ」

そのあと、またシーンとしてしまった。

「……そういうベーシックな悩みは、たしかに抱《かか》えたことがない」

純くんがぼそりといった。

「でも、ぼくにだって、悩みがないわけじゃないんだ」

「は？　いってみーよ。お坊《ぼっ》ちゃんの悩みってーの、知りたいぜ」

ちょっとの間があってから、純くんは話しはじめた。

「ぼくの家は立石《たていし》製薬だ。代々《だいだい》、長男が社長になる。ぼくに、たとえどんなに好きなことが他にあっても、そんなことは関係ない。ぼくは経営者になるために生まれ、英才教育を受けてきた」

「すげーじゃん。生まれてすぐに就職先が決まってるなんて、最高じゃん」

イトワンがツッコミを入れるが、純《じゅん》くんは暗い表情で首を横に振《ふ》る。

「たしかに、昔は家業を継《つ》ぐのがあたりまえだっただろう。でも今の時代に、まだそれなのか？　みんなが自由に職業を選べる時代に、ぼくは選べないのか？」

イトワンが腕《うで》を組んで純くんをにらみつけた。

「なにいってやがる。大企業《だいきぎょう》の社長以上にいい職業があんのかよ」

「ある」

「なんだよ、それ？」

「自分がやりたい職業だ」

「ちっ」

「いや、アニキ、オレはちょっとわかるぜ、純くんの気持ち。自由度ゼロじゃん」

「おい、信二《しんじ》。オレら貧乏人《びんぼうにん》に選択肢《せんたくし》があると思ってんのかよ？」

「ねえよ。けど純くんだって、ねえじゃん。ただ、うまいもん食えるか、食えないかのちがいだけじゃね？」

「そのとおりだ。しかも、きみたちは、ひょっとしたらという夢が持てる。ぼくには夢を持つ資格さえない。代々続いた会社をさらに続けていく責任だけがのしかかっている」

やりとりを聞いていたのえみが、急に両手をバタバタ振った。

「ちょ、ちょっと、純くんさ、そんなまじめな顔して話さないでよお」

「いや、ぼくにとっては深刻な問題なんだ」

「もしさ……」舞《まい》も話に加わることにした。

「もし純くんが、家業を継ぐのを断ったら、どうなる？」

純くんは眉間《みけん》にぎゅっとしわを寄せて、舞を見た。

「そんなことが許されるわけがないだろう。ちょっと事情があって……跡継《あとつ》ぎはぼくしかいないんだ」

「それでも断ったら？」

「……」

純くんはしばらく考えていた。

「親子の縁《えん》を切るしかないだろうね」

「話し合ったことある？」

「あるよ。一方的で、話し合いにならなかったけどね」

「あのさー」

イトワンがまた身を乗りだした。

「おまえ他になにか、やりたいことあんのかよ？」

純《じゅん》くんは、小さくうなずいた。

「ぼくは……わからないけど、冒険家《ぼうけんか》に憧《あこが》れている。リュックサックひとつで世界を旅する。そんな人生を送ってみたかった。だから、モリブちゃんが逃《に》げたとき、少しうれしかった。心の中で応援《おうえん》していたんだ。ぼくができないことを、してくれたから」

「わたしも」

鏡花《きょうか》ちゃんが純くんに同意した。

「いやいや、冒険どころか大失敗して、ゴンタに救われなかったら、危《あや》うく死ぬところだったよ。しかもヒマラヤとかそんなすごいとこじゃなくて、こんな小さな山の、たいしたことない森の中でさ。我ながらカッコ悪かったよ」

照れながらいうと、みんなが笑った。

「でも、きみは少なくとも挑《いど》んだ。ぼくにはひとりで森に入る勇気すらない。世界地図を広げて、夢をみるだけだ」

しばらくの沈黙《ちんもく》があって、またイトワンが口を開いた。

「それでも、やっぱオレはさ、毎日うまいもん食えて便所渋滞《じゅうたい》もなくて、将来の仕事が決まってるおまえがうらやましいぞ。代われるものなら、代わりてーよ」

「……そうかもしれない。ぼくのは、贅沢《ぜいたく》な悩《なや》みかもしれない。それでも、ぼくにとっては、やはり重いんだ」

「まあ、オレらみたいに、親の顔も思い出せねえよりはマシだよ。悪いこたあいわねえから、親子の縁《えん》なんか切るもんじゃねえぞ」

イトワンにしては、静かな口調だ。

「あ、あのう」

プーさんがおそるおそる話しかけた。

「ん？」

「イトワンくんたちのご両親は……亡《な》くなったんですか？」

いつのまにか、舞《まい》の呼び方が定着しているらしい。

「いや、ひとりは生きてるけどさ、一生いっしょに暮らせねえ事情ってのがあってな。だから前はじーちゃんたちと住んでた。死んじまったんで、今はおっちゃんちに、いそーろー中だ」

「そうですか……ふたりに比べれば、ぼくなんて」

プーさんが背中を丸めている。なにか、いいたそうだ。

「今日は悩《なや》み相談室だから、ぜんぶ吐《は》きだしちゃいなよ、プーさん」

舞《まい》がそういったとたん、イトワンが笑った。

「なにモリブ、カセのことプーさんって呼んでんのかよ？」

「うん。熊《くま》のプーさんに似てるから」

「たしかに似てんな。んじゃ、プーさん、いってみ。べつにメシとか便所レベルじゃなくてもいいぜ」

「う……うん。でも、べつにその」

「いいじゃんか、どうせここ出たらオレたち無関係になる仲だ。さらけだしたら、楽になるぞ」

プーさんはしばらく考えてから、うなずいた。

「あの、ぼくは……人とつきあうのが怖《こわ》くて……」

「あー、おまえ、学校でディスられてんのか？」

プーさんはうなずく。

「小学校のころはかなりひどかったけど……今は、ただ無視されてるだけです。ぼく、なにやってもノロくて……学校ではトドとかいわれてて……」

「トド？」

鏡花《きょうか》ちゃんがふしぎそうな顔をした。

「似てるらしいです。のろくて、もさもさしているところとか、体型とかが……」

プーさんはうつむいた。

「きみをトドと呼ぶ人たちは無知だな。トドは、勇ましく、泳ぎっぷりもいい生き物だ。ぜんぜんのろくないし、もさもさもしていない。陸上ではたしかにそう見えるかもしれない。だが、それは陸の上だけでのことだ。トドとは、海の馬と書くんだよ。英語ではシーライオン、つまり海のライオンだ」

純《じゅん》くんがキリッとした目つきで説明した。

「えっ」

プーさんが視線を上げた。

「シーライオン？」

「うん。きみも、きみに合った環境《かんきょう》であれば、シーライオンみたいに勇敢《ゆうかん》に活動できるかもしれない」

なんかもっともらしいような、こじつけのような理屈《りくつ》だな、と舞《まい》が思っていると、のえみがケタケタ笑った。

「あたしはさー、プーさんはプーさんでいいと思う。海の馬とかライオンとか、そーゆーキャラじゃない気がするなあ。プーさんはかわいくて、でっかくて、優《やさ》しいプーさんでいいよお」

「ん、わたしものえみに一票」

プーさんが赤くなって下を向いた。

「う、うん。ありがとう」

聴《き》きとれないような小声で、プーさんがつぶやいた。

「そっかー、あたしの悩《なや》みなんて、ちっさすぎていえないや」

「なに、聞かせて」

「いってみぃ、のえみサンダー。そのちっさすぎる悩みっての」

イトワンに指でくいくいというジェスチャーをされて、のえみはふう、とため息をついた。

「あたしはさー、食べ物に困ったことないし、トイレもお風呂《ふろ》もあるし、成績はイマイチだけど、ふつうに暮らしてるよ。でもさあ、ハーフじゃん。それがさ……」

「え、ハーフって、みんながなりたいくらいなのに？」

鏡花《きょうか》ちゃんが聞くと、のえみは首を振《ふ》った。

「うん、『ハーフ』って呼び方もイヤだけどさ。どうしても区別したいなら、『ミックス』にして欲しい。とにかくさ、すっごい中途半端《ちゅうとはんぱ》なんだよお。パパはアメリカ人だったからたことあるんだ、アメリカに。でもさ、アメリカではアジア人扱《あつか》いで、日本では逆にガイジン扱い。しかもガイジンのくせに英語できないし」

「おとうさんがアメリカ人だった、たって……？」

鏡花ちゃんが、おそるおそる聞いた。

「あ、うん、パパは去年亡《な》くなったんだ。今はママとおじいちゃん、おばあちゃんと四人暮らしなんだけどね。おかげさまでかわいがられて、すくすく育ちすぎちゃったけどさあ。あたしは日本人のつもりだけど、やっぱちがうとかいわれるし、英語で話しかけられることも多いし。なんか、いっつも悩むんだあ。あたしって何者なんだろう。何人なんだろうって」

いつも明るいのえみに、そんな悩みがあったなんて、想像できなかった。

「のえみ、それぜんぜん小さくないよ。かなり大きな悩みだよ」

舞《まい》がそういうと、イトワンもめずらしくまじめな顔をしてうなずいた。

「そりゃまた、オレらのメシ問題や便所問題とはちがうが、ややこしいな。オレらのは基本、カネさえあれば解決できるが、おまえのはカネじゃ解決できねー深い問題だな」

真理を語るイトワンに驚《おど》いていると、ツーも口を開いた。

「ん。ちっさくねーな。相当でかい問題だ」

「確かに、それはのえみちゃんが対処できるようなことではないね。根源的な、アイデンティティの問題だ」

純《じゅん》くんも、渋《しぶ》い表情をしている。

しばらくの沈黙《ちんもく》のあと、のえみがため息まじりにいった。

「うん……だから悩《なや》んではいるんだけどさあ、解決はできないんだってことも知ってる。この悩みは一生つきまとうだろうなあ」

一生。そんな……。

舞の頭の中に、いろいろな考えがめぐる。

「でもさ、のえみ。たしかに今は苦しいとは思うけど、こういう考え方はできないかな。ハーフでもミックスでもなくて、ダブル。どっちつかずってことは、どっちもってことだし、どっちかに偏《かたよ》ることなく、すごくグローバルな視野を持てるってことじゃん？　そう考えると、のえみは将来、どっちも冷静に理解できる国際人になれる気がする」

気持ちを正直に伝えたとたん、舞はみんなの視線を浴びた。

な、なに、なんか変なこといったっけ？

「いいことというじゃねーか、ジャンクフードのモリブのくせに」

「うるさい」

「モリブ、ありがとう！　あたし、そーゆーふうに考えたことなかったよお。なんか、少し救われた気分！」

のえみが抱《だ》きついてきた。

「ほら、そういうスキンシップも、すごく国際的だよ」

のえみはいつものようにケラケラ笑ってうなずいた。

「みんな、いろいろ抱《かか》えているのよね」

鏡《きょう》花《か》ちゃんのひとことを聞いて、イトワンが小刻みにうなずいた。

「そ。いろいろあんのよ。けど、美人で頭も家柄《いえがら》も良くて名門校に通ってる鏡花ちゃんには、なんの悩みもないだろーよ」

「ううん……そうでもないのよ」

鏡花《きょうか》ちゃんはカップを持ち上げて、そっとローズヒップティーを飲んだ。

「ほー、メシ問題、社長問題、トド問題、アイデンティティ問題に続いて、なにがラッキー鏡花ちゃんの悩《なや》みなのか、オレ、ちょー興味あるぜ」

挑戦的《ちょうせんてき》な目つきのイトワンのひじを、ツーが引っぱる。

「アニキ、そんないい方したら、鏡花さん、話しにくくなるだろーが」

「ちっ、おまえ鏡花さんが好きだからって、ひいきしてんじゃねーぞ」

「な、なにいってんだ。オレはただの……ファンだよ」

ツーが焦《あせ》っている顔を見て、舞《まい》は初めてかわいいなと思ってしまった。クールなふりをしていても、やはり男の子だ。鏡花ちゃんに憧《あこが》れないはずがない。

「鏡花ちゃん、なにが悩みなんだい？」

純《じゅん》くんにうながされて、カップを置いた鏡花ちゃんが、舞をちらっと見てから口を開いた。

「コンプレックス」

鏡花ちゃんの意外な答えに、全員が「はあー？」と声を上げた。

「おいおいおい、ふざけてんの？　どう考えてもアイドル級に美人で、すげー学校行ってて、金持ちのあんたのどこにコンプレックスがあんだよ」

イトワンにツッコミを入れられて、鏡花ちゃんはしばらくうつむいていたが、急にキリッとした目つきで前を向いた。

「そんなふうに思われていることに。家でも、学校でも、親戚《しんせき》からも、いつも良い子で美人で優秀《ゆうしゅう》でっていうレッテルを貼《は》られてきたの。反抗《はんこう》するべき理由もないから、反抗できない。いいたいこともいえない。このまま良い子を演じて一生を終えるかと思うと、うんざりするのよ」

シーン。

「……なんだそれ。そんなの悩みかよ！」

イトワンがドスンと、ソファにもたれかかった。

「いや、十分大きな悩みだと思うよ。ぼくにはわかる」

純くんは静かな口調だ。

「オレにはわかんねー。恵《めぐ》まれすぎてっから、オレらみたいに腹減ったとかうんこできねーとか、のえみみてーに自分が何人かわかんねーとか、プーさんみたいに学校でディスられてっとかーっつー問題がないから、退屈《たいくつ》してるだけじゃねーの？　そんなのさ、ただのワガママってゆーんじゃねえの？」

イトワンがきついいい方をするから、鏡花《きょうか》ちゃんがまた泣くんじゃないかと思って舞《まい》があわてて横を見ると、鏡花ちゃんは唇《くちびる》をぎゅっとかんで、泣くのをこらえているようだった。

それから急に、鏡花ちゃんは顔を上げた。目は赤いが、泣いてはいない。

「たしかに、恵《めぐ》まれてるのはわかってるの。でもそれと幸福とは別問題なのよ。うちは両親とわたしが三人そろって食事をするのは、夏の旅行のときと、お正月だけ。あとはいつもバラバラなの。パパとママは、メッセージでしか会話しない。パパには恋人《こいびと》がいるらしいし、もしかするとママもそうかもしれない。わたしが良い子でいないと、すぐに家庭崩壊《ほうかい》するの。わたしは、ふたりのご機嫌《きげん》だけをうかがいながら、おそるおそる生きてるの。でも、わたしは……一度でいいから舞ちゃんみたいに、強く、自由に生きてみたいって思って、ずっとずっとコンプレックスを抱《かか》えてきたのよ」

舞は自分の耳を疑った。

鏡花ちゃんがわたしにコンプレックス？

それ逆だろう！

「マジか。オレらから見ると、どう考えてもジャンクフードのモリブより、鏡花ちゃんのほうがラッキーに見えるけどな」

「だよな」

ツーが兄にうなずいた。

「鏡花ちゃん……そんなの初耳だよ。わたしは小さいころから、きれいで賢《かしこ》い鏡花ちゃんと比べられて、ずーっとコンプレックスあったんだよ！　うちは父親も逃《に》げたし、そもそもたいした父親じゃなかったし。で、おじさんがカッコよくて仲良し親子だからうらやましくて……美人でお金持ちでスウィートピーみたいな鏡花ちゃんに、いつもなりたくてなりたくて……」

「だろうなー」

イトワンがよけいな相槌《あいづち》を打つから、舞はにらみつけてやった。

「うるさいな。小僧《こぞう》、おまえにいわれたくない」

「小僧？　てめー一学年先輩《せんぱい》に向かってそれいうかよ」

「おいアニキ、好きな女子にはいちいちつっかかるじゃねーか」

「な、なにいってんだ信二《しんじ》！　オレはこんなゴボウみたいに色気のない不良娘《むすめ》、好きじゃねーよ」

イトワンが真っ赤になった。

「ふん、わたしはゴボウじゃなくて、『アーティチョーク』なんだよ。ゴボウよりもっとトゲトゲしてんの！」

「なんだそれ。そんなの知らねーよ。ゴボウの親戚《しんせき》か？」

イトワンは真っ赤な顔で、舞《まい》と視線を合わせないままだ。

「ごつごつで、トゲトゲしてて、かわいくもなんともない花のない花だよ！　とにかく」

舞は鏡花《きょうか》ちゃんをじっと見る。

「わたし、そんなの信じられないよ。みんなの憧《あこが》れの鏡花ちゃんが、わたしなんかにコンプレックスを感じるわけない。いいたいことなんか、いえばいいじゃん。おじさんにもおばさんにも。いい子ぶってないで、気持ちをぶちまけなよ」

「それができれば、悩《なや》まないわよ！　だから舞ちゃんがまぶしく見えるの！」

鏡花ちゃんがめずらしく、冷静さを欠いて、必死になっている。

「あのさ、鏡花ちゃん、カンチガイしてるよ。わたしは気が強いけどさ、肝心《かんじん》の相手には、いいたいことがいえないいんだよ。ハハにいいたいことがいっぱいあるのにさ。それにわたしの心のなかは真っ黒だよ。まぶしい人のわけがない！　学校でも家でもひとりぼっちでご飯食べて、ジェラシーのかたまりで、そんな自分が嫌《きら》いで、最低なんだよ。だからＳＮＳで他人のフリして、ウソのハッピーな人生を歩んでいるんだよ！」

本音をぶつけると、胸につかえていたものが、すっと取れた気がした。

急にイトワンが拍手《はくしゅ》した。

「よく白状した。スッキリしたろ？」

「……」

「おいモリブ。他人のフリのSNSなんか、やめちまえよ」

「なんでよ。『いいね！』もらうのが、わたしの唯一《ゆいいつ》の喜びなんだよ！」

「むなしくなんねー？」

「な、ならない……」

嘘《うそ》だ。実は自分でもとっくに気づいている。どんなに「いいね！」をもらっても、ぜんぶフェイクのわたしにだ。このわたしに対してじゃない。

「ほんとのモリブに、オレらがたくさん、『いいね！』押《お》してやるよ」

なんてことをいうんだ、イトワンは。うっかりホロッときちゃうじゃないか。

舞はなんと返事していいかわからず、うろたえた。

「アニキ、スマホもPCも持ってねえくせに、なにほざいてやがる」

弟のツッコミに、イトワンがゲラゲラ笑った。

「だよなー」

舞《まい》はこみあげてくる涙《なみだ》を抑《おさ》えるのに必死で、なにもいえなかった。

自分自身でいられたら。

本当の自分を好きになれたら。

クレーム・シャンティイなんて、必要ないのに。


その夜の会話はあまりにディープで、みんなぐったりした表情で部屋にもどった。

「わたしね……話せてよかった。いろいろ白状してしまって、とっても恥《は》ずかしかったけど、少し気が楽になったみたい」

鏡花《きょうか》ちゃんがそういうと、のえみもうんうんうなずいた。

「あたしも！　長年の悩《なや》みがすっかり軽くなった感じだよ。ありがと、モリブ！」

「そう思ってくれるなら、良かった。うん、わたしもだよ。自分だけが悩んでるって思ってたんだけど、ちがった。鏡花ちゃんのこと小さいころから知ってるのに、まさかそんな気持ちだったなんて、知らなかったし」

「わたしも驚《おどろ》いた。舞ちゃんはすごく強い子だと思ってたから。ごめんね、今まで舞ちゃんの悩みに気がつかなくて……」

舞は首を振《ふ》って、ふっと笑った。

胸につかえていたものを吐《は》きだした分、長距離走《ちょうきょりそう》のあとのような、達成感と疲労感《ひろうかん》に見舞《みま》われている。

「疲《つか》れすぎて、眠《ねむ》れないかも」

「うんうん、もう、エネルギーと脳みそ使い果たした感じ！」

パジャマに着替《きが》え、バタバタと歯磨《はみが》きをして、三人とも、素直《すなお》にベッドに入った。

「じゃ、おやすみ」「おやすみ」

興奮していて、すぐに寝《ね》つけるはずもなかった。それはふたりも同じだったらしく、ずっとガサガサと寝返《ねがえ》りをうつ音が聞こえていた。

自分に対する鏡花ちゃんのコンプレックスが、舞にはまだ信じられない。

それぞれの悩みは、誰《だれ》が一番深刻だと順位をつけられるものではない。自分だけが苦しいと思っていた舞は、みんなもいろいろな悩みを抱《かか》えていると知って驚いた。本音をぶつけ合うというのはこういうことなのかと、実感している。

何度も何度も寝返りをうっていると、両どなりから寝息が聞こえてきた。

窓の外から聞こえてくる野鳥の鳴き声は、あの森の中でさまよっていたときと同じだ。黒々《くろぐろ》と暗い空も同じ。でも、今、舞《まい》の両どなりには人がいる。森と舞の間には、壁《かべ》がある。守られている。すごい安心感だ。

今のこの気持ちをSNSで発信するとしたら、どう書きこむ？

というより、このバカンスが終わってもとの生活にもどったとき、わたしはクレーム・シャンティイを続けるのかな。ウソの自分から、そこに本当にいるかどうかもわからない人たちに向けて発信することの意味はなんだろう。

でも、この生活が終わったら、わたしにはSNS以外に居場所がない。

なんか、堂々《どうどう》めぐりだな。

ため息をつくと、ホーッという鳴き声が、森のほうから聞こえてきた。

11　森の外へ

それからの日々《ひび》は、あっというまだった。

三日に一度は畑に収穫《しゅうかく》に行き、週に一回は渓流釣《けいりゅうづ》りを楽しみ、土曜日の夜はほかほかのポップコーンとしぼりたてのオレンジジュースを手に映画を観《み》ながら騒《さわ》ぎ、暑い日はプールで泳いだ。食事も日に日においしく感じるようになり、ケチャップかマヨネーズが欲しいと思っていた薄《うす》い味に、深みを見つけることができるようになった。なんといっても、舞があのニラのおやきを食べられるようになったのだ。

そして、七人の結束は、どんどん強くなっていった。

プーさんはよく笑うようになって、伊藤《いとう》兄弟とすっかり仲良くなったし、純《じゅん》くんも折り紙みたいにキッチリ折り目のついている感じだったのが、少し柔軟《じゅうなん》になってきた。そういえば純くんも最近よく笑う。イトワンと純くんは、あいかわらずなんでもかんでも意見が食いちがっていい合うが、たがいに一目を置いているようだ。

のえみはあいかわらずケラケラよく笑い、舞《まい》もつられて笑うようになった。鏡花《きょうか》ちゃんはみんなのディスカッションで発言するようになってきた。

午後の宿題の時間には、純《じゅん》くんや鏡花ちゃんが舞たち下級生に教えてくれたり、のえみが英語の発音だけ特訓してくれたり。鈴木《すずき》先生も勉強を教えてくれた。とてもわかりやすい説明で、舞はびっくりするほど理解できた。食事のたびに滝乃川《たきのがわ》さんがマナーを指導してくれるのも、うっとうしいと思わなくなった。

イトワンはよくキッチンで手伝うようにもなった。どうやら料理が楽しいらしい。

「どうせ味見できっからだろ？」

と、弟にからかわれたが、本人は否定した。

「バーカ、ちげーよ。大人になったら農園で雇《やと》ってもらって、出荷できないぶかっこうなクズ野菜でおいしい料理を作ってみんなに食べてもらうっつーのを夢にしたんだよ。農園クズ食堂ってネーミングがいいかもしれねーな」

みんなは笑ったが、すてきな夢だなと舞は思った。

うまくいくといいね、イトワン。

舞は今、あの日逃亡《とうぼう》に成功しなくて良かったと、つくづく思っている。自分が好きなこと、好きなもの以外も楽しめるようになった。友だちができた。そして、なんといっても、自分が前ほど嫌《きら》いじゃなくなった。美しくも優《やさ》しくもなれないが、アーティチョークのままでも、受け入れてもらえることがわかったからだと思う。


そしていよいよ東京に帰る日が来た。

朝食時、みんなは目を合わせて、ため息をついた。

「うまいもん食えるのもこれで最後かよ。あー、帰りたくねえな」

イトワンがしみじみいう。

「だな。アニキもオレも、ここで太ったよな」

そういえば、前はふたりとも頬《ほほ》がしゅっと細かったが、今はふっくらとして、ふつうの中学生らしい顔つきだ。

「イトワンたちは食べ物のことだけなのー？　あたしはさびしいよお」

のえみが泣き声を出すと、みんなもうなずいた。

フォークで押《お》しても黄身がくずれないほど新鮮《しんせん》な目玉焼きを食べながら、舞もこの森を離《はな》れたくない気持ちになっていた。逃《に》げだすほど嫌《きら》いだったはずなのに、今はすっかりこの生活になじんでしまっている。ベッドメイキング。自分で収穫《しゅうかく》に行く新鮮《しんせん》な卵や野菜。みんなで作ったパスタ。プールにテーブルゲームに映画会。話し合い。森の散歩。そしてゴンタ。

帰りたくない。

そう思っているのは舞《まい》だけではない。みんなもしゅんとした顔つきで、朝ご飯をもくもくと食べている。

食後、荷物を持って一階に下りると、没収《ぼっしゅう》されていたものを返してもらえた。並べられたカップラーメンやポテチやスナック類を見ても、舞はなぜかあまり食べたいと思わなかった。のえみは返してもらったカラフルなグミを大喜びで口に入れたが、「あれ、こんな味だったっけ？」といって、首をかしげた。

舞がスナック類をバックパックに詰《つ》めていると、滝乃川《たきのがわ》さんがスマホやノートパッドの入ったカゴを持ってきた。

「みなさんの機器類は、こちらできちんと充電《じゅうでん》しておきました」

カゴの中にあるのは、まちがいなく舞のスマホだ。森で遭難《そうなん》したとき以来だ。

なんだか奇妙《きみょう》なものを見ている気分だった。スマホを使っていないことをすっかり忘れていたせいかもしれない。

「あら、森さん、いらないんですか？」

と聞かれて、舞はあわててスマホをつかんだ。

「いります。ありがとうございます」

「ふふ、なくてもやっていけそう？」

そう聞かれると、素直《すなお》にうんとはいえない。

「……なくても死にはしないだろうけど、やっぱり使うと思います」

鈴木《すずき》先生はほほえみながらうなずいた。

「ええ、スマホがなくても、もうあなたはだいじょうぶ。でも、あってもだいじょうぶ。それでいいのです。これはあなたの心臓じゃなくて、ただの道具なのです」

舞はうなずいて、頭を下げた。

この人に、ずいぶん助けられた。最初はクソばばあと思ったけど、結局、このオニの鈴木先生がいなかったら、すごくつまらない三週間だっただろう。

「三週間、お世話になりました」

「はい。みなさんお元気でね。ＤＶＤはＮ＆Ｍ社からお家に送られてくるはずですし、その直後に配信が始まりますよ。楽しみにしていてください」

「はい！」

それぞれの迎《むか》えの車が到着《とうちゃく》した。

滝乃川《たきのがわ》さんの車に、イトワンとツー、そしてプーさんが乗りこみながら、振《ふ》りむいた。

「おい、おまえら。ワガママいいたくなったら、いつでも相談してこいよ。オレが喝《かつ》いれてやっから！」

「おう、ただで相談にのってやる」

兄と弟の目が、うるんでいるように見えた。

「バーカ。だれがあんたらに！」

かわいげもなく返事をしたが、舞《まい》もみんなと別れるのがさびしかった。

「けど、きみたちに、どうやって連絡《れんらく》したらいいのかい？」

迎えに来たぴかぴかの高級車に向かっていた純《じゅん》くんが、立ち止まってイトワンに聞いた。

「連絡先教えただろーが」

「えーっ、あたしら、お手紙書いて文通しちゃうの？　ウケるー」

のえみがケラケラ笑う。

「ちっ。ロマンがあっていいだろ！」

みんなが笑いころげながら、イトワンに親指を立てる。

「わかった！　送るよ、手紙！」

舞も笑いながら答える。

「おっちゃんの作業場の固定電話っちゅうもんも、ちゃんと書いといただろ。電話でもいいぞ。待ってってからな！」

「わかった。バイバイ！」

「みんなありがとう！　さようなら」

にこにこ笑いながらプーさんが手を振った。

「じゃなーっ」

舞は、ふとこれが最後の別れなんだと気づいて、あわてて走り寄った。

「なんだ、モリブ、そんなにオレらと別れがたいのか？」

イトワンに「バーカ」と返事をしてから、滝乃川さんに頭を下げる。

「本当にありがとうございました」

「いえいえ、お礼ならゴンタに。では森さん、今の調子でどうぞお元気で、がんばってくださいね」

「はい。さようなら！」

滝乃川《たきのがわ》さんの車が最初に出発した。それから、純《じゅん》くんの運転手がうやうやしくドアを開けると、純くんが乗りこんだ。窓から舞《まい》たちに手を振《ふ》り、鏡花《きょうか》ちゃんをじっと見つめてから前を向いた。

一番最後に来たおじさんに引きはがされるまで、舞はゴンタと別れを惜《お》しんだ。ハグをしてもしても、ぜんぜん足りなかった。いっしょに写真をたくさん撮《と》って、それから、キュンキュン鼻を鳴らすゴンタをあとにした。うっかり涙《なみだ》が出てしまって、鏡花ちゃんに見られないようにあわてて拭《ふ》いた。

鈴木《すずき》先生にもう一度頭を下げて、車に乗りこむ。

ああ、ついに東京に帰るのか……。

のえみも鏡花ちゃんや舞といっしょに、おじさんの車に乗った。舞たち三人は、車の中でもサービスエリアでランチをしているときも、ノンストップでしゃべりまくって、おじさんにあきれられた。それから三人ともグウグウ寝《ね》てしまった。

舞とのえみは、舞の家の近くのＪＲ中央線駅前で車を降ろしてもらった。

空気がぜんぜんちがうことにすぐ気づいた。

草や花の匂《にお》いはなくて、代わりに排気《はいき》ガスの匂いがした。頭上を通る電車や、ロータリーのバス、お店の呼びこみの声、駅のアナウンス。ファストフード店の排気口《はいきこう》から出てくるポテトフライを揚《あ》げる匂い。いろんな音が、色が、匂いがガチャガチャしていて、舞ものえみも、すぐに、顔をしかめた。

「うるさいね」

「なんか臭《くさ》いねえ」

そしてふたりでゲラゲラ笑った。

「また会えるといいね」

「会えるよお。あたしら、家もわりと近いじゃん？　手紙も書くし」

「手紙か！　ははは」

「電話もするしい。イトワンたちには悪いけど、あたしとモリブはチャットもできるし！」

「そうだね。わたしも連絡《れんらく》するよ。元気でね」

改札までのえみを送って、ハグをして、別れた。

夏が終わってしまった。

最初は辛《つら》くて、退屈《たいくつ》で逃《に》げだしたくせに、最後は楽しくて、スマホのことなんかすっかり忘れていたこの三週間。あの、静かな山の世界がフッと消えた。月夜も黒い森も、もうない。あの森の中にはもうもどれない。永遠にログアウトだ……。

12 世界とツナガル

家にもどり、夏の宿題を整理して、数日後には新学期が始まった。

前より学校の授業をおもしろく感じた。なぜかはわからないが、夏の三週間にたくさん本を読んだことや、みんなと何度かディスカッションしたことで、舞《まい》は自分の脳のどこかが目覚めたような気がしている。

席替《せきが》えがあって、新しくとなりの席になった子と話すようになった。きっかけは、舞が図書室で借りてきた『イーリアス物語』というギリシャ神話の本だったのだが、そこから本の話で盛り上がった。

そして、意外なことをいわれた。

「森さんて、みんなと距離《きょり》を置きたい人なんだと思ってたの。でも、勇気を出して話しかけてみて良かった！」

ええっ？　と、びっくりした。

仲間に入れないといじけていたのだが、まわりはそう見ていなかったらしい。そういえば、一年のときに誰《だれ》とも仲良くなれなかったせいで、二年になった初日から鎧《よろい》で身を固めていた気がする。まさにアーティチョークだ。うっかり触《さわ》るとトゲで痛い目にあうやつ。きっとそんな雰囲気《ふんいき》が全開だったのだろう。


その日、家に帰ったとたんにふと舞《まい》の頭にあることが浮《う》かんだ。

もしかしたら、中学受験で仲たがいをしてしまった美紀《みき》ちゃんも、わたしのことを避《さ》けているんじゃないかもしれない。わたしが美紀ちゃんに悪いなっていう顔をしていたから、いっしょにいづらくなったんだったりして。だって逆の立場ならどうよ？

舞は、小学校六年のときに美紀ちゃんからもらったスマホの番号に、ショートメッセージを送ってみようかどうしようか、迷った。

いまさらね。一年半もたって？

それにこういうのって、ショートメッセージで送るようなこと？

ちがうよね。今度ばったり会ったら、勇気を出して、声をかけてみようかな……。それか、電話をかけてみよう。自分がいかに中学で落ちこぼれているか、本当の自分をさらけだしてみよう。それでもダメなら、そのときはそのとき。

気がつくと、クレーム・シャンティイのことをすっかり忘れていた。ひさしぶりにログインしてみると、舞がずっと不在でもSNSの世界は回りつづけていた。メッセージもなかったし、フォロワー数もずいぶん減っていた。

舞の本当の名前さえも知らないフォロワーたちなのだから、偽《にせ》の社交だということはわかっていたし、むしろ、やめる覚悟《かくご》ができてよかった。

舞は思いきって、クレーム・シャンティイのアカウントを削除《さくじょ》した。

またSNSを始めるなら、今度こそ「モリブ」の本音を書こう。

森の家から出発する朝、スマホを返してもらって、イトワン&ツー以外の子たちはメールアドレスやコミュニケーションツールのアカウントなどを交換《こうかん》しあった。

舞とのえみはときどきチャットをしているが、イトワンたちを仲間外れにするわけにもいかないから、みんなとは連絡《れんらく》していない。ちょっとさびしいが、いずれ手紙でも書こうかと思っている。

変わったことといえば、舞《まい》は、ＰＣやテレビの前で食事をするのをやめた。電子レンジで温めるだけというのはやめて、適当ではあるが、一応なにかしら作っている。遅番《おそばん》でないときの母は八時半にはもどるから、帰りを待って、いっしょに食べるようにした。

最初、母は「味の薄《うす》い食事」にとまどったが、いっしょに食べることには喜んだ。ただ、娘《むすめ》に隠《かく》れてこっそりケチャップやしょうゆを足そうとしているのを見て、舞は鈴木《すずき》先生ふうにいってみた。

「それだと、いつまでたっても濃《こ》い味しか食べられないし、高血圧になるよ」

母は苦笑いをしながら、うなずいた。

「あと、長いこといいたかったんだけど……」

舞は、母に大事なことをいうことにした。せっかくあのとき森で、今度会えたらちゃんといおうと、決心したのだから。

「あら、なに？」

「悪いところはとうさんにそっくり、っていうの、禁句にして欲しい」

母はびっくりしたようだったが、うなずいてくれた。

「そんなにしょっちゅういったかかな」

「いった。何度もいった」

「そっか……。ごめん。もういわない。ほかは？」

「わたしと鏡花《きょうか》ちゃんを比べないで。あと、ハハとおばさんも比べないで」

「いや、べつにわたしはね……」

「ウソだ。比べてる、昔も今もずっとじゃん。わたしもそうだった。ずっと鏡花ちゃんと自分を比べてたんだ。でも、もう今はちがうよ。わたしはわたしだから。ハハはハハだから」

「……舞、大人になったね。たったの三週間で」

「ありがと。ハハも大人になってください」

「うわ、きっつーい」

「いやほんとに。あと、ジャンクフードの毎日はもう終わり。たまにはいいけど、基本は、下手でもいいから作って。わたしも作るからさ」

「う、うん。まだお小言あるの？」

「以上です。そっちからは？」

「あ、えーっと、まず、『ハハ』はやめて。『かあさん』にもどして」

「……わかった」

「あと、家にいるときはスマホでメッセージじゃなくて、面と向かっていってちょうだい。今みたいに」

「うん」

「えーっと、あと……ごはんを作ってくれるのはうれしい。でもさ、ニラのおやきだけは、ちょっと勘弁《かんべん》して」

舞《まい》はプッと、吹《ふ》きだしてしまった。

そうだ。母のニラ嫌《ぎら》いを直そうと思って、何度もニラ入りおやきを作ったのだった。

「しょうがないなあ。好き嫌《きら》いが多すぎるよ」

「うん。わかってるのよ。少しずつ、がんばるから。毎日はやめて」

「わかりました」

「以上です」

そんな会話をしたあと、舞たちは煮《に》すぎて伸《の》びきってしまったうどんを食べながら、笑った。

ふたりで笑い合うのは久しぶりだった。


部活をやっていない舞は、放課後はさっさと帰宅することにしている。そんな九月のある日、電話が鳴った。スマホのチャット電話だ。

「のえみ！」

「モリブ元気ー？」

このニックネームを耳にするのは、なつかしい。

「あれから十日たったけどさ、もっとすごーく長い感じがして、声が聴《き》きたくなっちゃった。モリブは部活やってないからもう家にいるかなーっと思って」

「大当たり」

「そういや、例のＤＶＤ、今週中に送ってくれるらしいね」

「うん。観《み》たいような、観たくないような……」

「いえてる！　かなり恥《は》ずかしいかも。でもさ、顔も名前もわかんないし！　ね、今度の日曜日って、ヒマ？」

「うん、おそろしくヒマ」

「じゃあさ、どっちかの家であそぼーよ」

「いいよ。うちでもいいよ、わたしひとりだから」

「そう？　じゃ行くー。いいもの見つけちゃったから、持っていくよん」

「いいものってなに？」

「ふっふ。人生ゲーム。屋根裏にあったの」

爆笑《ばくしょう》した。まだやるのか。

「りょーかい」

「よし。あ、プーさんも誘《さそ》っていい？　三鷹《みたか》って近いじゃん？」

「いいよ。みんな呼んでいいよ。うち狭《せま》いけど土日はわたしひとりだし」

「わかった。でもイトワンたちはどうかなあ？　あと、港区《みなとく》組もどうかなあ？」

「ああ、港区組はムリだと思う。日曜日にあのふたり、初デートするかもって、鏡花《きょうか》ちゃんから聞いてるから。邪魔《じゃま》するのはよそう」

「ひゃーっ、そうなの？　そんなふうに発展しちゃってんの？　わかった。じゃプーさんにとりあえず電話かけてみる！　プーさんからイトワンに連絡《れんらく》してもらうね。またね！」

「うん、またね」

電話を切って、にやけてしまった。またみんなに会えるかもしれない。

翌日、舞《まい》はのえみからメッセージを受け取った。eメールを見ろという。

舞は母のおさがりのノートブックPCから、ほとんど使っていない自分のウェブメールにログインして、おかしなメールを見つけた。

〈うっす。イトワンだ。いっせーメールするぞ。

よく考えたら、切手代のほうが高いじゃねえか。おまえら全員に送ってたら、すげー額になる。んで、学校のパソコンでやれることに気づいた。なもんで、オレも信二《しんじ》もパソコンクラブに入ったぞ。今もクラブで残ってんの。ま、スマホはねえけど、オレたちふたりとも別々《べつべつ》のメルアド作ったんで、パソコンでメールのやり取りはできるぞ。切手代いらねーんだからすげーよな。っつーわけで。プーさんから聞いた日曜日のゲームは参加するぞ。場所を知らせろよ。けど武蔵小金井《むさしこがねい》じゃ電車賃かかりすぎだっつーの〉

舞は吹《ふ》きだした。メールでもしゃべっているときとまったく同じ調子の文面とは、いかにもイトワンらしい。

そして、その後、純《じゅん》くんからの一斉《いっせい》メールも来た。

〈今調べましたが、伊藤《いとう》くんたちが住んでいる地区に、ぼくたちが集まれそうな公民館のプレイルームがあります。テーブルは予約制なのですが、そこでよければ、区民である伊藤くんの名前で予約しておきます。立石純《たていしじゅん》〉

〈すげー。さすが次期社長、手際《てぎわ》いいぜ〉

〈よろしくです　Ｆｒｏｍモリブ〉

数分後、すぐに純《じゅん》くんからまた一斉《いっせい》メールが来た。

〈予約しました。伊藤《いとう》くんの名前で、連絡先《れんらく》はぼくの携帯《けいたい》番号をお伝えしました。日曜日の二時から四時まで。テーブル名は「イエロー」で、七名で予約してあります。

食べ物の持ちこみ可とのことなので、なにかオヤツを持っていきます。住所は下記の通り。

では、日曜日に。立石純《たていし》〉

〈サンキュー〉

〈遅《おく》れないないように行きます。プー〉

〈ありがと、純くん。楽しみです～＊のえみ〉

〈了解《りょうかい》です。あれ、鏡花《きょうか》ちゃんは？　Ｆｒｏｍモリブ〉

〈彼女《かのじょ》は午前中ぼくと映画を観《み》に行きますので、ランチ後、現地にいっしょに向かいます。立石純〉

〈うおお、純、すげえな、デートかよ。残念だったな信二《しんじ》！〉

〈うるせえな。ただのファンだっていったはずだぞ。引っこんでろアニキ〉

今、きっとみんな笑っているだろう。

ピコッ。

メッセージ着信。また一斉メールだ。

〈こんにちは。みなさんお元気ですか。盛りあがっているみたいですね。さっき、おもしろいことを発見したので早速《さっそく》シェアします。舞《まい》ちゃんのいっていた『アーティチョーク』のことです。ごつごつした「萼《がく》」や「つぼみの芯《しん》」や「茎《くき》」を食べますが、食べずにじっと待てば、なんと、中から花が咲《さ》いてくるのです！　萼の先端《せんたん》にはトゲがありますが、花は鮮《あざ》やかな紫色《むらさきいろ》でとてもすてきです。花言葉は「独立独歩」。なんだか舞ちゃんにそっくりでしょう？　写真を添付《てんぷ》します。では土曜日に！　鏡花〉

きれいな花が、ごついアーティチョークの鎧《よろい》から出ていた。

しばらくその写真に見とれたあと、舞は一斉メールで返事をした。

〈ありがと、鏡花ちゃん。『花ならば、食べずに待とう　アーティチョーク』だね。気長に花が咲くのを待つか。じゃ土曜日に！　Ｆｒｏｍモリブ〉

〈楽しみにしています！　鏡花〉

〈バカモリブ、字余りしてんじゃねーよ。日曜までに咲いとけ！〉

舞はしばらく笑ってから、ログアウトした。

でもこれは、いっときのバイバイ。彼《かれ》らが消えるわけじゃない。
ログアウトしても、わたしたちは、つながっている。
ノートブックをパタンと閉じて、舞《まい》は立ち上がった。

佐藤まどか

『水色の足ひれ』（第22回ニッサン童話と絵本のグランプリ大賞受賞・BL出版）で作家デビュー。主な著書に『ぼくのネコがロボットになった』『リジェクション』（共に講談社）、『セイギのミカタ』（フレーベル館）、『つくられた心』（ポプラ社）、『一〇五度』『アドリブ』（日本児童文学者協会賞受賞）（共にあすなろ書房）など。イタリア在住。日本児童文学者協会会員。季節風同人。

イラストレーション／北村みなみ
ブックデザイン／城所潤

世界とキレル

2020年 9 月15日　初版発行
2022年 8 月30日　4 刷発行
著者　佐藤まどか
発行者　山浦真一
発行所　あすなろ書房
〒162-0041 東京都新宿区早稲田鶴巻町551-4
電話 03-3203-3350（代表）
印刷所　佐久印刷所
製本所　ナショナル製本

ISBN978-4-7515-2949-2 NDC913 Printed in Japan